From Vico 1º Porta Nuova and Beyond

Memories of an Abruzzo Childhood

EGIZIA SANTILLI BROWN

Peter E. Randall Publisher
Portsmouth, New Hampshire
2023

Composed and printed in The United States of America

ISBN: 978-1-937721-97-8 print
Library of Congress Control No. 2023900178

Published by
Peter E. Randall Publisher
5 Greenleaf Woods Drive #102, Portsmouth, NH 03801
http://www.perpublisher.com

Book Design: Endpaper Studio

Front cover photograph: Egizia Brown, third grade school photograph, circa 1953
Title page photograph: Egizia on the steps in front of her childhood home, Vico 1° Porta Nuova, in Pratola Peligna, Abruzzo

Summary: For the Italian language student, this dual-language book features twenty nine stories—each one written in the original Italian, with English translations, recipes, and photographs. The stories are taken from childhood of the author, who has been an Italian language teacher for many years.

DEDICATION

This book is lovingly dedicated to my whole family, who inspired me to tell the stories of my humble beginning and helped in its fruition.

Vi voglio bene,

Egizia

ACKNOWLEDGMENTS

It is with deepest appreciation and heartfelt gratitude that I thankfully acknowledge Anne Atkins, my indispensible typist, for her unending dedication and guidance; my students for initiating the discourse on my life in Italy; all those who read and commented on my stories; my publisher for allowing great latitude of time

Many thanks,
Egizia

PREFAZIONE

EGIZIA Santilli Brown è un'immigrata di Pratola Peligna a Abruzzo in Italia. Nel 1953, all'età di dieci anni, è emigrata in Nuova Scozia in Canada. Adesso abita a Greenland, New Hampshire, negli Stati Uniti. Lei è una figlia, una sorella, una madre, una vedova, una nonna, la mia prima insegnante d'italiano, ed ora, un'amica.

Ho incontrato Egizia a un corso settimanale per adulti chiamato Italian per principianti. Lei era l'insegnante. Dopo quattro lezioni, il Covid-19 ha colpito e la classe è stata cancellata. Tuttavia, ho avuto l'opportunità di programmare sessioni private con lei. È stato qui che Egizia ha iniziato a raccontarmi storie sulla sua vita in Italia e da immigrata in Canada. Ho trovato le storie interessanti ed affascinanti.

Il Covid ha fornito molte ore per esplorare ulteriormente il mio lignaggio. I miei nonni erano immigrati dall'Italia. Mio nonno è nato a Campagnano di Roma, a ovest di Pratola Peligna, un viaggio di meno di due ore sotto l'Appennino attraverso il tunnel del Gran Sasso che college l'Abruzzo, patria di Egizia ed il Lazio, la provincial dei miei antenati Carbonetti e Mecozzi. Loro, come la famiglia di Egizia, erano agricoltori. Ho saputo che mio nonno era il più giovane di otto figli e mia nonna aveva sei fratelli. Entrambe le nostre famiglie sono emigrate in cerca di una vita migliore e hanno trovato successo nei loro paesi di adozione.

Ciascuna delle 29 storie è in italiano ed inglese ed è seguita da una pagina di vocabolario. Poichè le due lingue hanno costrutti diversi, la traduzione inglese non è parola per parola, ma racconta l'essenza del testo italiano. Alcune delle storie sembrano idilliache. Egizia ha detto spesso che lei e le sue amiche non sapevano di essere povere. Giocavano insieme a bottone, pietre e giocattoli fatti a mano. Facevano musica e partecipavano con grande passione ai festival. Il loro senso della famiglia era forte. Genitori e nonni hanno insegnato ai loro figli non solo i compiti da svolgere, ma anche come festeggiare insieme. È facile immaginare Egizia che aiuta la nonna nel suo orto e prepara il concentrato di pomodoro e impara a tessere con la nonna Giuseppa. Una delle immagini che mi è più viva nella memoria è la scena in cui Egizia e suo nonno Giovanni fanno visita all'eremita Alfonso per riparare la spalla ferita di Egizia, pagando questo servizio con due galline.

Mentre la maggior parte delle storie si svolge a Pratola, Egizia ci porta anche in altre parti dell'Abruzzo, per spiagge e montagne. Lei va a trovarei suoi parenti a Napoli ed a Trastevere. Sulla via del ritorno a Pratola, ha una spaventosa avventura sul treno.

Siediti con on bicchiere di limoncello (la ricetta è inclusa) e un biscotto quaresimale (anche inclusa) o una fetta di melanzana al cioccolato (anche inclusa). Mettiti nei panni di Egizia. Goditi le sue avventure! Mediti sulle vite dei tuoi antenati.

—Anne Carbonetti Atkins

FOREWORD

EGIZIA Santilli Brown is an immigrant from Pratola Peligna in Abruzzo, Italy. In 1953, at the age of ten, she emigrated to Nova Scotia, Canada. She now lives in Greenland, New Hampshire, in the United States. She is a daughter, a sister, a mother, a widow, a grandmother, my first Italian teacher, and now, a friend.

I met Egizia at an adult education course, Italian for Beginners, where she was the teacher. After four lessons, Covid-19 struck and the class was canceled. However, I was able to schedule private sessions with her. It was here that Egizia spoke about her life in Italy and as an immigrant in Canada. I found the stories interesting and charming.

Covid has provided many hours to further explore my lineage. My grandparents were immigrants from Italy. My grandfather was born in Campagnano di Roma, west of Pratola Peligna, a journey of less than two hours under the Apennines through the Gran Sasso tunnel connecting Abruzzo, Egizia's homeland, and Lazio, the province of my ancestors Carbonetti and Mecozzi. They, like Egizia's family, were farmers. I learned that my grandfather was the youngest of eight children and my grandmother had six siblings. Both of our families emigrated in search of a better life and found success in their adopted countries.

Each of the 29 stories is written in Italian and English and is followed by a vocabulary list. Since the two languages have different constructs, the English translation is not word for word, but communicates the essence of the Italian text. Some of the stories seem idyllic.

Egizia often said that she and her friends did not know they were poor. They played together with buttons, stones, and handmade toys. They made music and participated with great passion in festivals. Their sense of family was strong. Parents and grandparents taught their children not only the tasks at hand but also how to celebrate together. It is easy to imagine Egizia helping her grandmother in her garden, preparing tomato paste, and learning to weave with her grandmother Giuseppa. One of the images most vivid in my memory is the scene in which Egizia and her grandfather Giovanni visit the hermit Alfonso to repair Egizia's injured shoulder. They paid for this service with two hens.

While most of the stories take place in Pratola, Egizia also takes us to other parts of Abruzzo, to beaches and mountains. She visits her relatives in Naples and Trastevere. On the way back to Pratola, she has a scary adventure on the train.

Sit down with a glass of limoncello (recipe is included) and a cookie (also included) or a slice of chocolate eggplant (also included). Put yourself in Egizia's shoes. Enjoy her adventures! Ponder the lives of your ancestors.

~ Anne Carbonetti Atkins

TABLE OF CONTENTS

1. IL GIORNO DEL MERCATO A PIAZZA GARIBALDI

QUANDO ero piccola, amavo di sentire il suono del **trombetiere**. Lui andava da ogni incroce di strada, scalinate e viali. Suonava fortissimo la trompetta e cominciava a gridare ad alta voce, "Attenzione! Oggi c'è il mercato ed anche il teatro con **Pulcinella**." Quella Pulcinella sempre **picchiava** e bastonava gli altri nello spettacolo.

Sabato era il migliore giorno del mercato per tutti. **Ognuno** del paese andava per fare **acquisti**. Il sapone Palmolive era il migliore per me perché mi piaceva l'odore. Anche oggi io uso il sapone Palmolive. Certe volte mamma mi comprava un **cuccù** fatto di terra cotta. Il cuccù un fischietto con acqua dentro che fa un suono diverso dagli altri di metallo.

---

abito abruzzese tradizionale / traditional dress for women of Abruzzo

Mamma mi comprava sempre la **liquirizia**. Era un rametto come una cannuccia ma aveva uno **spessore** di uno centimetro. Uno doveva masticare e succhiare a questo rametto per avere la liquirizia. Quando era finito si doveva tagliare la parta succhiata e continuare ancora a succhiare più giù. Anche oggi mi piace la liquirizia moltissimo. Mamma mi portava a vedere il teatro. Certe volte, erano **burratini** con guanti. Altre volte erano **marionetti** (con fili). Mi piaceva Pulcinella che era una burratina. Era la eroina che vinceva sempre e gridava molto.

Mentre io guardavo lo **spettacolo**, mamma continuava a fare acquisti. Lei portava fagioli secchi in **sacchetti** di un kilo. Lei usava questi per **barattare** per gli acquisti. Facevamo seccare i fagioli proprio sulle piante nel orto. Così quando aprivamo i **baccelli** erano abbastanza secchi per vendere. Se non erano secchi gli facevamo seccare al sole. Una volta secchi duravano molto tempo. Noi non compravamo fagioli per seminare. Usavamo i nostri fagioli oppure scambiavamo con i vicini di casa per le sue varietà.

Al ritorno a casa ero sempre stanca e triste alla fine della giornata del mercato.

MARKET DAY IN PIAZZA GARIBALDI

WHEN I was little, I loved to hear the sound of the town announcer. He would go to each street crossing, stairway, and alleyway. He would sound the trumpet loudly and then yell, "Attention! Today there is the market and also the theater with Pulcinella." That Pulcinella always hit or used a cane to beat all the others in the show.

Saturday was the best market day for all. Everyone in town went to the market to buy items. To me Palmolive soap was the best because I liked the smell. Even today I use Palmolive soap. Sometimes Mama would buy me a *cuccù* whistle made from clay. This is a whistle with water inside that makes a different sound from the metal ones. Mama always bought me a licorice stick which was about as thick as a one-centimeter straw. You had to chew and suck on this stick to taste the licorice. When it was finished, you would break the sucked part off and continue to suck the part below. Even today I like licorice very much.

Mama would bring me to see the theater. Sometimes there were gloved hand puppets. Other times there were marionettes with strings. I liked Pulcinella, a gloved puppet. She was the heroine who always won and yelled a lot.

While I watched the theater, Mama continued to shop. She brought dried beans in one-kilo sacks. She would use these to barter and buy. We would let the beans dry right on the plants in the garden. Thus, when we opened the pods, they were dry enough for selling. If they were not, we would put them in the sun to dry. Once dry, they would last a long time. We did not buy beans for planting. We used ours or we exchanged some with our neighbors for their variety.

Going home I was always tired and sad at the end of market day.

VOCABOLARIO

Giorno del mercato a Piazza Garibaldi

acquisti: purchases
bacelli: pods
baratare: to barter
burratini: puppet with glove
cuco o cuccù: water whistle of terracotta
cucù: cuckoo clock
cucolo-uccello: two-tone songs
liquirizia: licorice
marionetta (plurale: marionette): puppet with strings
ognuno: each one
picchiava: beat
pulcinella: punch, pugno
sacchetti: little sacks
spessore: thick
seccare: to dry
spettacolo: theater
trombetiere: trumpeter

2. BUONA NOTTE

QUANDO andavo a vedere le mie amiche, non andavo mai dentro casa. Se era di sera, portavo con me una **latta bucherellata** che aveva una maniglia di sopra. C'erano carboni **ardenti** dentro. Mi piaceve di **dondolare** questa ed usavo la latta facendo un **grande circolo** con mio braccio passando vicino la mia testa. I **carboni** non cadevono mai. Questa era una meraviglia per me. Quando dovevo aspettare per le mie compagne, mi sedevo sui gradini della loro casa ed ero sempre calda con la mia latta vicino a me.

A casa mia prima di andare a letto prendevo con un **mestolo** l'acqua dalla conca per bere e per lavarmi. L'acqua era sempre nella **conca** perché mamma andava ogni mattina a prendere l'acqua fresca dalla

---

una delle tante scalinate a Pratola Peligna / one of the many stairways in Pratola Peligna

fontana. Quest'era **in fondo** dalla nostra **scalinata** dove c'era la strada con una bella fontana per tutti. L'acqua scorreva tutto il giorno ma la chiudevono di notte. Quando faceva freddo l'acqua si gelava nella conca ed io rompevo il ghiaccio col mestolo. Quest'era prima che abbiamo avuto acqua in casa.

Prima dell'impianto idraulico all'interno mia madre portava il bucato al fiume che era soltanto una camminata corta dalla nostra casa. Lungo le sponde del fiume c'erano lastre di cemento con colmi su cui i vestiti erano sbattuti per pulire. Mamma portava con lei un sapone mal odorino che lei faceva con lardo e liscivia. I vestiti lavati erano stesi sugli cespugli per asciugare.

Non avevamo molti vestiti. Le ragazze indosavano camiciotti per mantenere le lore gonne e bluse pulite. Non indosavamo i pantaloni. Mamma faceva le nostre scarpe. Comprava le suole ed il di sopra dal mercato. Avevo un paio di scarpe elegante nere vernice che mia sorella indossava dopo che diventavanno troppo piccole per me. Mia nonna lavorava a maglia e faceva i nostri calzini usando quattro ferri ed anche faceva guanti fatto a metà dita. Non faceva molto freddo a Pratola.

Dopo dell'impianto idraulico interno Mamma lavava i vestiti in un mastello ed un'asse per lavare. Avevamo una corda per mettere il bucato al balcone, ma qualche volte quando avevamo molto bucato, lo stendevamo sui fili attaccato alle sedie sul tetto.

Mi ricordo di quel giorno. Era come un miracolo avere impianto idraulico in casa. Adesso non era piu necessario di butare fuori dalla finestra l'acqua sporca. La lasciavamo andare giù nella fognatura.

Con l'impianto idraulico abbiamo messo parete nell'angolo della cucina per costruire il bagno con la doccia. Non c'era una tentina e così tutte le mattonelle attorno si bagnavano. Dovevamo asciugarle dopo ogni doccia. Primo dell'impianto avevamo un fabbricato come un piccolo armadio nel balcone che era un ambiente in cui si fanno i servizi igienici. Ogni mattina mia madre puliva il posto igienico e portava i rifiuti nell'orto dove li stendeva e li copriva di paglia per usarli più dopo come fertilizzante.

Quando i **lenzuoli** erano freddo mettevamo il **focolare** con carboni ardenti sulla sedia. La sedia si metteva nel letto, dentro le due lenzuoli. Il focolare si metteva nella parte dietro della sedia. Prima di metterci nel letto **toglievamo** la sedia con i carboni e **godevamo** il caldo delle lenzuole.

Mama ci cantava una **ninnananna** ogni sera, molte volte era Stella Stellina. Ancora oggi è usato nei carillon.

Stella Stellina o La Luna dà Buona Notte

La notte si avvicina,
la fiamma traballa,
la mucca e'nella stalla,
la pecora e l'agnello
la vacca col vitello,
la chiaccia coi pulcini
la gatta coi gattini
e tutti fan'la nanna
nel cuore della mamma

Un'altra

Ninna Nanna Ninna oh
questo bimbo a chi lo do
Se lo do alla Befana
Se lo tiene una settimane
Se lo do all'uomo nero
Se lo tiene un anno intero
Ninna Nanna Ninna oh
Questo bimbo me lo terrò

BUONA NOTTE

WHEN I went to visit friends in the evening, I never went inside their house. I would take a can with a handle and would fill it with coal embers (live ones). I made a big circle with my arm, passing near my head. The coals never fell out. I thought that was great. I always kept warm when it was cold. If I had to wait on the cement steps, the can would keep my hands warm too.

At home before going to bed I would get a drink from the *conca* using a ladle. The conca always had water because my mother went every morning to get fresh water from the fountain, which was at the bottom of the staircase leading to a street with a beautiful fountain for everyone. She would fill it with enough water to last all day. Everyone came to get their water from the fountain, which ran all day but was turned off at night. On cold days the water in the conca would freeze. I would break the ice on top with a ladle. It was like a miracle to have plumbing in the house. Now it was no longer necessary to throw the dirty water out the window. We let it go down the drain.

Before we had indoor plumbing, my mother carried the laundry to the river, a short walk from our house. Along the banks were concrete slabs of cement with ridges on which the clothes were beaten. Mom brought smelly soap that she made with lard and lye. The washed clothes were spread on the bushes to dry.

After the indoor plumbing Mom washed the clothes in a tub with a washboard. We had a clothesline on the balcony, but sometimes we hung the washed clothes on lines attached to chairs on the roof.

With the plumbing we added walls in a corner of the kitchen to make a bathroom with a shower that had no curtain, so all the tiles got wet. We had to dry them after every shower. Before the plumbing we had a structure the size of a small closet on the balcony where we used the chamber pot. Every morning my mother cleaned the pot and took the waste to the garden where she spread it out and covered it with straw to eventually use as fertilizer.

When the sheets were cold, we would warm them up by putting a chair between the sheets. On the rung part of the chair we set a focolare, a flat copper pan filled with embers. Then the sheets and blankets covered the chair, which was removed before we got into a bed with very warm sheets.

Mom would sing us a lullaby. It was usually Stella Stellina, a melody still used in music boxes.

VOCABOLARIO

Buona Notte

ardenti: live or lit
bucherellata: punched with holes
carboni: coal
chiudevono: turned off
conca: water vessel carried on the head
dondolare: sway
focolare: a pan or hearth with coal
fare grandi circoli: to make big circles
godevano: enjoyed
gradini: steps
impianto idraulico: indoor plumbing (lit. "hydraulic system")
in fondo: at the bottom
latta: can
lenzuole: sheets
mestolo: ladle
ninnananna: lullaby
scalinata: stairway
scorreva: flowed
toglievamo: take off
chiaccia: mother hen with chicks
pulcini: baby chicks

3. NONNO SALVATORE
(1897-1961)

NONNO Salvatore era il padre di mia mamma. Lui era **ferito nella prima guerra mondiale** ed è stato **prigioniere** in Africa. Non è stato mai più in buona salute.

Nonno guidava la sua bicicletta da per tutto. Lui era incarico di distribuire l'acqua ai contadini per **annacquare** le vigne ed **innaffiare**

Nonno Salvatore e la sua figlia, Concetta, nel giorno del suo matrimonio.
Egizia's grandfather, Salvatore, and his daughter, Concetta, on her wedding day.

gli orti. Le fattorie si trovavano lungo un fiume lontano dalle case. Ogni fattoria aveva accesso all'acqua attraverso un cancello con una porta che una volta aperto permetteva all'acqua di defluire nella fattoria. Nonno andava molto presto al fiume per creare l'elenco della distribuzione dell'acqua. Di solito era il primo arrivato, il primo servito. Molte volte, quando un contadino ha iniziato con l'acqua, non si è fermato al ora assegnato. Poi mio nonno e sua figlia Concetta hanno dovuto fermare l'acqua e mandarla al prossimo contadino. Così c'erano sempre **argomenti**.

Nonno prendeva un'**accorciatura** di strada sulla **ferrovia**. Mi faceva sentire il treno se veniva. Ascoltava mettendosi l'orecchio sulla ferrovia. Se non si sentiva rumore sul ferro il treno non veniva così potevamo usare la ferrovia per un'accorciatura.

Nonno era un **falegname**. Poteva fare tutte le cosi di legno. Con i **rocchetti** di Nonna Giuseppa, mi faceva piccole macchine usando un **elastico**, due **rondelle** ed un **stuzzicadenti**. Mi piaceve questo molto perché lo caricavo e se ne andava per un giretto finché la carica **terminava**. Lui faceva anche **barili** per vino. Mi piaceve di mettermi dentro un barile a fare il **nascondino** con nonno.

Lui mi ha insegnato di mettere le mani nel vano della porta per un minuto e dopo mi muovevo e le mani si alzavano automaticamente. Per me era una cosa magica.

NONNO SALVATORE

NONNO Salvatore was my mother's father. He was wounded in World War I and was a prisoner in Africa. Afterwards he was not in good health.

Nonno rode his bike everywhere. He was in charge of distributing water to the farmers to water their vineyards and vegetable gardens. Our homes were in the town and had no land for farming. The farms were located along a river away from the houses. Each farm had access to the water through a gate with a door that, once opened, allowed the water to drain into the farm. Nonno would go to the river early to create the water distribution list, usually first come, first served.

Many times when a farmer began his water flow, he didn't stop at the allotted time. Then my grandfather and his daughter Concetta had to stop the water and send it along to the next farmer. There were always arguments.

Nonno would take a shortcut on the railroad tracks. He showed me how to listen on the tracks by putting my ear on the iron rail. If I didn't hear a noise, then the train was not coming, and we could use the tracks for a shortcut.

Nonno was a carpenter. He would make things from wood. With Nonna Giuseppa's spools, he taught me how to make little cars using a spool, a rubber band, washers, and toothpicks. I liked this a lot because I would charge it and make it spin until the charge was spent.

I liked to get into a barrel to play hide-and-seek with Nonno. He taught me to put my hands in the doorway for a minute and then I would move and my hands would automatically go up. For me it was magical.

VOCABOLARIO
Nonno Salvatore

accorciatura: short cut
annacquare: to water, irrigate
argomento: argument
barile: barrel
caricare: to load up
distribuzione: distribution
elastico: rubber band
elenco: list
falegname: carpenter
ferito in guerra: wounded in war
ferrovia: iron rails
in carica: in charge
innaffiare: to water
nascondino: hide-and-seek
ora assegnata: assigned time
prigioniero: prisoner
rocchetti: spools
stuzzicadenti: toothpicks
terminava: finished
togliere: to take away
rondelle: washers

·» 4. NONNO GIOVANNI «·
(1901-1988)

NELLA nostra casa a Pratola Peligna, i genitori di mio padre vivevano al **pian terreno** e noi vivevamo sopra dei nostri nonni al primo piano. Avevamo due stanze. Una era la cucina e l'altra, la camera da letto con un letto matrimoniale ed un lettino. I matterassi erano **ripieni** con lana dalle pecore di nonna. Ogni anno aprivamo i matterassi e lavavamo la copertura e la lana che si doveva fare asciugare ed **arruffare**. Era fatto tutto a mano. Questo lavoro durava una settimana perché dovevamo cucire i bottoni al coperto. Dormivamo sul **pavimento**.

Egiza fra Nonna Egizia e Nonno Giovanni davanti il muro della casa. Egizia between Nonna Egizia and Nonno Giovanni on landing in front of the wall of their house.

Molte volte andavo giù per vedere nonno. Quando lo sentivo entrare io correvo giù sulle **scaline**. Lui aveva un **cappotto a mantello**. Quando lui entrava io mi mettevo davanti e lui mi copriva bene con il suo mantello **avvolgendomi** con un abbraccio. Quello me lo ricordo bene. Mi portava un arancia come **regalino.** Mi insegnava di fare una **maschera** con la **buccia** (**scorza**). Certe volte io le facevo seccare per giocarci **più dopo**. Le maschere si **induravano.**

Di sera quando il fuoco era **brace**, nonno faceva un **taglio** alle **castagne** e le metteva nella brace. Quando si sentivono **schiocchi** era ora di mangiarle. Le castagne erano molto buone fatto così.

Dopo la cena giocavamo con le maschere. Con la **polpa** dell'arancia nonno ci faceva fette e ci metteva sale e pepe sopra. Quando mi voglio ricordare del sapore, faccio lo stesso con l'arancia, ma lascio la buccia. È molto delizioso e mi fa ricordare di Nonno Giovanni.

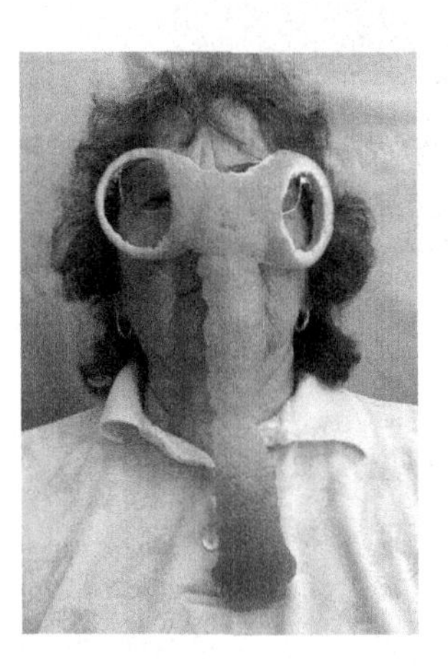

Egizia indossa una maschera d'elefante fatto dalla buccia d'arancia come quella che faceva Nonno Giovanni. Egizia is wearing an orange peel elephant mask like the one her grandfather used to make.

NONNO GIOVANNI
(1901-1988)

IN our house in Pratola Peligna, my father's parents lived on the ground floor. We lived above them on the first floor. We had two rooms. One was the kitchen, and the other the bedroom with a double bed and cot. The mattresses were filled with wool from Nonna's sheep. Every year we opened the mattresses and washed the cover and the wool that had to be dried and fluffed. It was all done by hand. This work took a week because we had to sew the buttons to the cover. We slept on the floor.

When I heard Nonno Giovanni come home, I would run down the stairs. He had a cloak coat. I would stand in front of him, and he would cover me with his coat and wrap me up in a big hug. I remember that well. He would bring me an orange as a gift. He taught me how to make masks with the orange skins. Sometimes I would let them dry so that I could play later.

In the evening when the fire was embers, Nonno would carve a mark on some chestnuts and put them in the fire. When we heard the pop, the chestnuts were ready to eat. They were very good done this way.

After supper we would play with the masks. The pulp of the orange was cut into slices, and Nonno would put salt and pepper on them. When I want to relive the taste, I fix the orange this way, but I leave the peel on and cut it in slices. It is very delicious this way and reminds me of Nonno Giovanni.

VOCABOLARIO

Nonno Giovanni

arruffare: to fluff
avvolgendomi: wrapping me
brace: embers
buccia o scorza: rind
cappotto a mantello: cloak coat
castagne: chestnuts
fette: slices
induravano: became hard (hardened)
la polpa: the pulp
maschera: mask
pavimento: floor
pian terreno: level with ground
più dopo: later
regalino: little gift
riempiti: filled
scaline: stairs
schiacciare: to flatten
schiocchi: pop
taglio: cut

·» 5. NONNA EGIZIA, IL MIO OMONIMO «·

NONNA Egizia, la moglie di Nonno Giovanni è la madre di mio padre, era sempre nella cucina. Aveva una **chitarra appiccata** sul muro. Con questa faceva spaghetti e linguini. La chitarra è **solamente** conosciuta nella nostra provincia d'Abruzzo. La gente dei altri paesi ci chiamavano "mangiamaccheroni."

Nonna Egizia sta facendo il concentrato di pomodoro. Nonna Egizia is making tomato paste.

Nonna mi faceva imparare come si usava la chitarra che, come la chitarra musicale, aveva dei fili. Quella di Nonna aveva un lato più stretti e dei fili al altro lato più allargato. I fili più vicini erano per fare spaghetti e l'altro lato era per fare linguini.

Lei mi ha insegnato di fare l'**impasto** per pasta asciutta con uova e farina sulla spianatura. Per fare pasta farcita usava olio e un po' di latte per fare l'impasto con più **elasticità** e **morbidità.** Lei usava un **matterello** sopra i fili così la pasta si tagliava e si vedevono maccheroni sotto i fili.

Dopo una bella raccolta dei pomodori dal suo orto che lei lavorava a mano, Nonna faceva l'**estratto.** Aveva un cilindro con chiodi che **bucava** i pomodori e li mandava nel **mostello.** Noi facevamo **spruzzare** i pomodori con le mani. Dopo passavamo il liquido per un assedio rettangolare per togliere i semi. Quando i semi erano tolto, portavamo il liquido al tetto sopra la casa. Avevamo un tetto piatto cosi mettevamo la **raccolta** a seccare per conservarla o per venderla. Avevamo dieci **spianature** fatto di legno dal nostro falegname e avevano tre latti. Un lato non era chiuso. Si mettevamo lì per fare l'impasto per pasta e pane. Mettevamo l'**estratto** liquido sopra la **spianatura** con un **mestolo.** Lo mettevamo al sole e andavamo ogni due o tre ore a girare l'estratto cosi si seccava. Facevamo questo per più di tre giorni o finchè si seccava abbastanza per **imbottigliarlo** in **baratoli** di vetro e ci mettevamo l'olio per coprire il disopra così non si guastava. Dato che non avevamo ne frigo ne congelatore conservavamo le cose in baratolli con olio sopra.

Nonna andava ogni giorno a coltivare il suo orto. Le piante dei fiori di zinnie circolavano tutto l'orto, che ci dava abbastanza cibo per quasi tutto l'anno. C'erano piselli, fagioli (fagioli rampicanti e fagiolini), ravanelli, barbabietole, granturco, spinaci, rucola, patate bianche, cipolle, peperoni verdi e rossi, patate dolce, alio e basilico. Le patate dolce e le barbabietole le vendeva ai mercanti per fare lo zucchero. Durante la raccolta tutti di noi dovevamo lavorare molto, fine alle ore piccole di notte. C'era molto da fare. Dovevamo mettere tutte la raccolta in sacchetti di un kilo ciascuno. I mercanti venivano con grandi camion per comprare la **raccolta** dei cittadini. Loro venivano con il trompetiero che annunciava che i mercanti volevano comprare la raccolta.

NONNA EGIZIA, MY NAMESAKE

NONNA Egizia, the wife of Nonno Giovanni and my father's mother, was always cooking. She had a *chitarra*, a stringed box, hanging on the kitchen wall to make spaghetti and linguine. The chitarra is a tool that was known only in our province of Abruzzo. We were known as "macaroni eaters."

Nonna taught me how to use the chitarra that, like the musical guitar, had strings. Nonna's chitarra had strings closer on one side to make spaghetti and on the other side farther apart to make linguine.

She taught me to make the dough for dry pasta with eggs and flour on the *spianatura*, a large, tabletop, three-sided board. To make filled pasta she would put oil and a little milk in the dough to make it more elastic and soft. She used a rolling pin on the strings so it would cut the pasta you could see the macaroni coming down under the strings.

After a good tomato harvest from her garden that she worked by hand, Nonna also made tomato paste. She had a cylinder with nails that would prick the tomatoes and let them fall into the tubs. Then we would squeeze them by hand. When the squeezing was done, we would sieve the seeds out. Then we would bring everything up to the roof. It was a flat roof where we would dry items like beans, peas, and corn. We then poured the liquid on the spianatura. We had ten of them. They were made of wood by a carpenter and had three sides blocked. We stood in front of unblocked side to make pasta or bread dough.

On the roof we would set up the board for drying. We would go up and spread the tomatoes again. They dried, but it usually took three days for them to become paste. Then we would bottle it and cover with oil to preserve it. Since we had no refrigerator or freezer, we used to bottle everything this way.

Nonna went every day to cultivate her garden, which was surrounded by zinnias. She grew enough food for almost the year. There were peas, beans (climbing and bush), radishes, beets, corn, spinach, arugula, white potatoes, onions, green and red peppers, sweet potatoes, garlic, and basil. The sweet potatoes and beets were sold to make sugar to the merchants who followed the town crier as he announced what was available to harvest.

VOCABOLARIO

Nonna Egizia

appiccato: hanging
barattolo: jar, pot, tin, can of milk
bucare: made holes or pierced
chitarra: stringed box
dato che: since
elasticità: elastic
estratto: tomato paste
guastare: to spoil, ruin, break
imbottigliare: to bottle up
impasto: dough
mastello: wooden tub
matterello: rolling pin
mestolo: ladle
morbidità: soft, flabby
ossedio: sieve
raccolta: harvest
solamente: only
spianatura: large, tabletop, three-sided board
spruzzare: to squeeze

Egizia pizzica le corde della sua chitarra in modo che le linguine cadano al di sotto. Egizia is plucking the strings of her chitarra so that the linguine falls through them.

·» 6. NONNA GIUSEPPA «·

NONNA Giuseppa era la madre di mia mamma. Era una tessitrice. Nonna abitava dieci minuti di cammino lontano da noi nello stesso paesino di Pratola Peligna. Nella sua casa Nonna aveva un **telaio** molto grande che occupava tutta una stanza. Aveva un **filatoio** dove filava la lana delle pecore che lei **tosava** con **forbici da tosatrice**. Queste pecore erano **allevate** in campagna e di notte erano rimesso in **capanna** cosi il **lupo** non se ne mangiava alcune. La capanna aveva pareti e tetto di paglia.

Ogni volta che io visitavo, Nonna ero molto affascinata con tutto che nonna aveva. Mi dava sempre uno spuntino di pane di gran turco con il lardo **sciolto** sopra. Mi piaceva molto.

Nel cortile dietro della casa di Egizia in New Hampshire, Nonna Giuseppa sta asciugando i centri che lei ha fatto per lei. In Egizia's backyard in New Hampshire, Nonna Giuseppa is drying doilies that she made for her.

Quando nonna tessava mi faceva mandare la **navetta** colla **spola** di filo in mezzo ai fili del talaio. Dopo mi aiutava a fare stringere il filo al tessuto.

Era molto lavoro per nonna quando doveva cambiare i fili nel **telaio**. Nonna vendeva i suoi tessuti con ricamo o senza ricamo. Nonna ricamava, nomi, fiori ed altre cose sui tessuti. Mi ha regalato due paia di lenzuoli con cuscini. Uno ricamato con rose che sono usati nel mio letto ed un'altro **ricamato** in blu usato per ospiti.

Uso anche una **scialla** che nonna mi fece molti anni fa. Dove abbitavamo non era necessario di avere un cappotto. Non nevicava mai. Usavamo sempre una bella scialla: tessuta o fatto a ferri o fatto ad uncinetto ed erano di diversi colori ed anche per varie stagioni e varie occasioni. Nei giorni nuvolosi portavamo sempre una scialla con noi perché il tempo non era sempre bello.

NONNA GIUSEPPA

NONNA Giuseppa was my mother's mother. She was a weaver. Nonna lived a ten-minute walk from us in the same city. In her house she had a loom that occupied a whole room. She also had a spinning wheel and a spindle for making wool for knitting, weaving and crocheting. On her loom she would weave sheets, towels, pillow cases, and shawls.

She spun the wool from the sheep that she sheared. They lived in the fields and at night were put in a straw hut so that a wolf would not eat any. The hut, called a *capanna*, was made of straw and stucco and had sides and a roof.

Every time I visited Nonna, I was fascinated with everything that she had. She would always give me a treat of cornbread with warm lard on it. I loved it.

When Nonna was weaving, she would let me send the flying shuttle through the threads and would help me pull on the beater to make the cloth tight.

It was a monumental task to warp the loom. Nonna sold her weaving with or without embroidery. She knew how to embroider flowers and names and how to make borders on her handiwork. She gave me two sets of sheets: one set with roses I have on my bed, and another has blue embroidery that I use for guests. I still use the crocheted shawl she made for me many years ago. Where we lived it was not necessary to wear a coat. It never snowed. We always used a beautiful shawl, woven, knitted or crocheted. The shawls were of varied colors and used in different seasons and also on various occasions. On cloudy days we always brought a shawl with us because the weather was not always beautiful.

VOCABOLARIO

Nonna Giuseppa

allevare: to raise up
capanna: straw hut
filatoio: spinning wheel
forbici da tosatore: scissors
indovinare: to guess
intrecciare nel telaio: to weave
mangiava lupo: eat wolf
navetta: flying shuttle
ricamato: embroidered
scialla: shawl
sciogliere: melted
spola: bobbin
telaio: loom
tessava: wove
tosava: sheared

7. MIE AMICHE DELLA SCUOLA ELEMENTARIA

MIA amica Eliana era nella mia classe. Lei aveva una sorella più grande, Maria, che ci aiutava sempre. Camminavamo insieme ogni mattina. Avevamo lo stesso uniforme che era un grembiule, un collo biancho e nastro scuro in fiocco. Loro abitavano due porte giù da casa mia. Elvira, un'altra amica, era seduta nel mio banco a scuola.

Left: Elvira Santo, la sua compagna di scuola, si sedevano sempre l'una accanto l'altra perché i loro cognomi iniziavano con la S. Egizia's and her school friend, Elvira Santo, always sat next to each other because their last names both began with S. Right: Egizia andava ogni mattina a scuola con queste due sorelle, Eliana, che era nella sua classe, e Maria che era alla quarta classe. Egizia walked to school every morning with these two sisters, Eliana, who was in her class, and Maria who was in fourth grade.

Noi avevamo il **banco** con due sedini ed una **scrivania** sopra per due persone. I nostri **cogniomi** cominciavano con S cosi eravamo sempre insieme perché dovunque andavamo era necessario di essere sempre **in ordine alfabetico.**

La nostra maestra era Signora Bianca. Veniva da Sulmone col treno. Arrivava con 18 minuti. Sulmone era lontano, 5.1 mile, e per **camminare** ci voleva un'ora e 37 minuti. Avevamo la stessa maestra dal primo grado fino alla quinta classe.

La scuola cominciava alle 9:00 e finiva all'1:00, sabato anche. Dopo la scuola **camminavamo** all'asilo dove imparavamo da cucire e **ricamare** la **biancheria** e fazzoletti. Ci davano da mangiare, normalmente era minestra. I più piccoli giocavano e andavano in altalena tutto il pomeriggio.

Per la scuola elementaria i genitori ci compravano due libri. Uno era per la lettura con capi lavori di molti autori stranieri ed anche italiani. L'altro libro aveva sette parte. Il libro cominciava con la religione, grammatica, aritmatica, geometria, storia, geografia e scienze. Abbiamo cominciato a scrivere con la matita e dopo con la penna e **pennino** usando l'**inchiostro** che era nella scrivania. Ogni mattina dovevamo riempire ogni **calamaio** nelle scrivanie con l'inchiostro. I calamai avevano un **coperchio** cosi non si **asciugavano** durante la notte. Signora Bianca scriveva sulla lavagna e noi scrivevamo i circoli che lei faceva. Facevamo la **calligrafia**. Non mi sono imparato di scrivere in **stampatello** in Italia. Ho scritto sempre col pennino e l'inchiostro. Adesso soltanto gli artisti usano pennini. Avevamo sempre la **carta assorbente**.

Quando toccava a me a leggere la lettura, la maestra chiamava il mio nome ed io mi alzavo con libro in mano e leggevo ad alta voce finché lei chiamava un'altra persona. Andavamo alla lavagna per **calcolare** le risposte delle domande di aritmatica e geometria.

Sono stata sempre interessata sulla geografia, specialmente le cose belle d'Abruzzo. Abbiamo la **Maiella** che è nel **Parco Nazionale della Maiella** vicino a Sulmone. La Maiella è una roccia calcarea, un massiccio del **Monte Amaro**, Provincia di Chieti, Abruzzo. È una bella montagna per scalare e sciare. L'altezza è 9,163 piedi. Prima scalata 1873. C'è anche il **Gran Sasso**, alto 9,554 piedi con l'Aquila ai piedi che è il capo luogo di Abruzzo. Gran Sasso è usato come **osservatorio** sotterraneo, anche per sciare e per sentieri.

C'è anche il **Parco Nazionale d'Abruzzo** dove gli animali sono nel parco e le persone sono in **gabbie**. Il Parco è in Abbruzzo, Lazio, e Molise, il più vecchio nei Appennini, estabilito in 1923 per conservare molti animali selvaggi: lupi, cerve, lince, orsi, porcospini, aquile, trote, **pernice**, molti uccelli e bellissimi fiori.

MY FRIENDS IN ELEMENTARY SCHOOL

MY friend Eliana was in my class. She had an older sister, Maria, who helped us often. We used to walk to school together every morning. We all were dressed in the same uniform: smock, white collar and dark ribbon made into a bow. My friends lived two houses down from me. Another friend, Elvira, was seated next to me at the same desk. We had a bench with two seats and a desk top for two. Our last names began with S, so we were always together because, wherever we went, we always had to be in alphabetical order.

Our teacher was Mrs. Bianca. She came from Sulmone, only 18 minutes by train. Sulmone was 5.1 miles and would take one hour and 37 minutes to walk. We had the same teacher from first grade to the fifth grade.

School went from 9:00 a.m. until 1:00 p.m. Afterwards we would walk to a day care school where the older ones learned to embroider sheets, towels, etc. The little ones played on the playground and on the swings. We would get lunch here. For the elementary school my parents bought two books. One was for literature and had the best works of many foreign and Italian authors. The other had seven sections: Religion, Grammar, Arithmetic, Geometry, History, Geography and Science. We started to work with pencil first and then straight pen and nib using ink that was in the inkwells of the desk. Every morning we had to refill the inkwells which had lids so as not to dry up during the night. Mrs. Bianca would write on the board, and we would copy the circles that she made. We did calligraphy. I did not learn how to print in Italy. I always wrote with pen and ink. We always had a blotter with us.

When it was my turn to read, the teacher would call my name.

I would get up with book in hand and read out loud until the teacher would call another name.

We would go to the board to write our answers to the arithmetic and geometry questions.

I have always been interested in geography, especially the beautiful places in Abruzzo. We have La Maiella in the National Park of La Maiella. La Maiella is a limestone rock formation called a *massif* in Monte Amaro in the province of Chieti in Abruzzo. A great mountain for skiing and hiking, it is 9,163 feet high with Aquila at its feet. It is also the capital of the whole region of Abruzzo. Gran Sasso is used as an observatory; the animals are outside, the people in cages. It is also a *massif.* It is highest peak in the Apennine mountains and the second highest peak in Italy outside the Alps, established in 1923. There is also the National Park of Abruzzo in Abruzzo, Lazio, and Molise, the oldest in the Apennines. It has wolves, deer, lynxes, bears, porcupines, eagles, trout, partridges, many birds and beautiful flowers.

VOCABOLARIO
Mie amiche della scuola elementaria

Appennini: Apenennine
asciugava: dried
biancheria: linen
calamaio: inkwell
calcolare: calculate
calligrafia: calligraphy
camminare: to walk
carta assorbente: blotting paper
cognomi: surnames
coperchio: lid
gabbie: cages
Gran Sasso: mountain with an underground observatory
Maiella: location in Apennines
massiccio: massif (mountain mass)
montuoso: mountainous
Monte Amaro: highest peak on the massif
ordine alfabetico: alphabetical order
osservatorio: observatory
Parco Nazionale D'Abruzzo: national park
Parco Nazionale del Gran Sasso: national park
Parco Nazionale della Maiella: national park
pernice: partridge
pennino inchiostro: ink nib
ricamare: embroider
ricinti: fencing
scienziati: scientist
scrivania: desk
stampatello: block letters

·» 8. SABATO L'OTTAVO DI PASQUA «·

SABATO dopo di Pasqua era una giornata di festa. Andavamo per **campeggio** a Scanno, una città in Abruzzi, con le mamme e figli di Pratola. Prendevamo una **corriera** e andavamo via per due giorni. Era un **gran'che**. Portavamo cibo come prosciutto, uova sodo e pane dolce di Pasqua. Mi sono imparata come si sa se **l'uovo è sodo** o no. Se si gira è sodo; se no si gira è fresco.

Per la strada abbiamo visto un lago che aveva un gorgo o **mulinello** d'acqua nel centro. Se uno nuotava vicino il gorgo lo portava giù in fondo e si affogava. Scanno era un piccolo paese con laghi, montagne e molti divertimenti di parchi giochi che si chiamavano **giostre**. Adesso è molto più grande.

Ha anche molti **ermitaggi** che erano incantevoli come San Egidio vicino L'Aquila, 1.25 kilometri da Scanno. Ci sono anche **Terme** di Scanno con acqua o lo **zolfo** con iodino. San Onofrio ermitaggio aveva un lago con odore di zolfo. Siamo andati lì per mangiare nostro cibo. Mi ricorderò sempre di quel odore. Dopo mangiato abbiamo visitato l'eremo di San Onofrio che era **incantevole**. Poi siamo andati al Parco dove c'erano giostre, **ruote panoramiche, scivoli, attrezzi da arrampicare**, giocchi con palle, bocci e **ferro di cavallo**. Tutti quanti si sono divertiti anche perché c'erano spuntini da mangiare; castagne arrostite e **nocelline americane** arrostite o **arachide** arrostite e tante altre cose buonissime come **gelati saporiti** in vendita. Al ritorno ci siamo fermati alla Maiella Parco con Monte Amaro 9,163 piedi di altezza e la Maiella larghezza, 242 miglia quadrate.

Nella caverna di Grotta San Angelo c'erano pitture murale dai antenati. Nel primo aprile 2021, La Maiella Parco Nazionale è stato dichiarato L'Unesco Global Geopark.

Siamo arrivati a L'Aquila che è ai piedi del Gran Sasso Parco Nazionale. (Gran Sasso larghezza è 545.68 miglia quadrate.)

Questo comprende tre catene di montagne negli Appennini e c'è il Gran Sasso. Anche la cima di Corno Grande ha l'altezza di 9,554 piedi. È la più alta montagna degli Appennini. C'è anche il **ghiacciaio di Calderone** con molti sentieri da scalare. Le montagne hanno anche un sistema funicolare che va fino a Campo Imperatore Pianura con pendio di montagne per sciare. C'è anche l'osservatorio più famoso d'Europa dove studiano fisica nucleore. Laboratorio Nazionale del Gran Sasso è sotto la cima.

Nel parco abitano lupi, camoscio e molti altri animali che sono adesso sotto protezione. Si vedono molti bei fiori come edelweiss e croci da dove viene lo **zafferano,** molto famoso in Italia.

Cinquanti anni fa in Campo Imperatore i pecorai, o pastori, portavano sue pecore e le lasciavano a **pascolare** per tutto l'estate. Ma adesso vanno ad altri posti con le sue pecore e non le lasciano più senza guardie.

SATURDAY OF THE OCTAVE OF EASTER

THE Saturday after Easter was a holiday. We went to Scanno, a city in Abruzzo, with the mothers of Pratola. We would take a bus, which would stay with us for two days. It was a big deal! We brought food, such as prosciutto, hard-boiled eggs, and sweet bread from Easter. I learned how to know if an egg is hard boiled or not. If it doesn't turn when you spin it, then it is raw. If it does, it is hard.

On the way we saw a whirlpool in a lake. If one swam near the whirlpool, he would be taken under and drown. Scanno was a small town with lakes, mountains and many amusement parks and merry-go-rounds. Today it is much bigger. There are also many enchanting hermitages like San Egidio near L'Aquila, which is 1.25 kilometers from Scanno. There are thermal waters with sulfur and sulfur with iodine. In Saint Onofrio Hermitage there is a lake with sulfur. We went there to eat. I will always remember that smell. After eating we visited the hermitage. It was beautiful. Then we went to the park with a merry-go-round, Ferris wheel, slides, monkey bars, ball fields, bocci courts, and horseshoe games. Everyone had a good time. There were snacks, such as roasted chestnuts and peanuts and many other goodies available. There were many flavors of ice cream for sale. On the way back we stopped at the Maiella Park at Mount Amaro, 9,163 feet high. The Maiella is 242.62 square miles.

In the grotto, St. Angelo Cavern, there are paintings by our ancestors. This park was declared a UNESCO Global Geopark on the first of April 2021.

We arrived at L'Aquila at the foot of Gran Sasso National Park, 545.68 square miles. This has three mountain chains of the Apennines, including Gran Sasso and the peak of the Corno Grande, which is 9,554 feet high, the highest mountain of the Apennines. There is also the Calderone Glacier with many paths to climb the mountain. They have a funicula, a cable railway, that goes to Campo Imperatore. Skiing is available. Inside the Gran Sasso is the most famous laboratory in all of Europe, where nuclear physics is studied.

In the park live wolves, roe deer, and many other animals that are protected. One sees many beautiful flowers, like crocuses, from which the best Italian saffron comes, and edelweiss.

Fifty years ago in Campo Imperatore, shepherds would bring and leave the sheep to graze all summer without supervision, but now they find other places to bring them and do not leave them unsupervised.

VOCABOLARIO

L'Ottavo di Pasqua

affogare: to drown
arachide: peanuts
attrezzi da arrampicare: monkey bars
campeggio: camping
corriera or autobus: bus
ermitaggi: hermitages
ferro di cavallo: horseshoes
Ghiacciaio di Calderone: Calderone Glacier
giostre: merry-go-rounds
gran'che: big deal
incantevole: enchanting
mulinello: whirlpool
nocelline americane: peanuts
pascolare: graze
pecorai: shepherds
ruote panoramiche: Ferris wheel
scivoli: slides
tanti gelati saporiti: many flavored ice creams
terme con acqua zolfata: thermal water with sulfur
uovo sodo: hard-boiled eggs
zafferano: saffron

·» 9. IL PARCO NAZIONALE D'ABRUZZO «·

Il Parco Nazionale d'Abruzzo protegge la natura e certi animali. Fu stabilito in 1923 nel cuore degli Appennini. Parco Nazionale d'Abruzzo si trova nel Sud Est d'Abruzzo con una parte in Lazio ed un altra nelle Molise. La larghezza è 545.68 miglia quadrate.

Nel cuore del Parco e tra le **vette incontaminate** degli Appennini si trova il lago di Barrea su cui si affacciono tre bei **borghi**: Barrea, **Villetta** Barrea, Civitella Alfedena. Questo lago è stato **realizzato** artificialmente nel 1950 **sbarramento** dal fiume Sangro. Il fiume ha una larghezza di 500 metri e una lunghezza di circa cinque kilometri.

Egizia ed i suoi parenti si godono il Parco Nazionale d'Abruzzo. Egizia and relatives are enjoying the National Park of Abruzzo.

Questo è il luogo ideale in alcuna stagione per vivere in armonia con la natura incontaminata.

Lungo le **sponde** del lago ci sono **percorsi pedonali** e **ciclabili** che circondano completamente il lago. Qui è possibile trovare **panchine**, aree di **sosta**, punti di **ristoro** con spiagge **attrezzate** come i **lidi balneari.** C'è anche la Gravara, un luogo ideale per fare il bagno, prendere il sole o fare un giro in **pedalo.**

In questo parco: orso bruno **marsicano**, lupo appenninico, **camoscio** d'Abruzzo, lince, cervi, **capriole**, **martora**, gatti selvatici, **aquila reale**, Picchio dorsobianco, **gufo reale**, cervo imperiale, **folaga**, **airone cenerino**, **vipera** dell'orsini, **ululone dal ventre giallo**, trotta forio, e Rosalia alpina.

Ci sono sessantasette specie di mammiferi, 230 specie di uccelli, molti assolutamente da vedere. Visitate anche La Val Fondillo, il panorama del belvedere di Barrea, Il Centro Storico e la Torre di Barrea, La Camosciara, e i percorsi ciclopedonali attorno al lago di Barrea.

Se andate per una visita si consiglia, però, di evitare i periodi festivi perché sono affollatissimi. È preferibile scegliere la primavera o l'inizio dell'estate quando la natura si risveglia. Oppure l'autunno quando le foreste si rivestono di colori vividi. Qualunque sia il periodo scelto avrete una vacanza incantevole.

THE NATIONAL PARK OF ABRUZZO

THE National Park of Abruzzo protects nature and certain animals. It was established in 1923 in the heart of the Apennines in the southeast of Abruzzo with a part in Lazio and another in Molise. It is 545.68 square miles.

In the heart of the park and between the uncontaminated peaks of the Apennines is Lake Barrea from which can be seen three beautiful towns: Barrea, Villetta Barrea, and Civitella Alfedena. This lake was artificially created when the Sangro River was dammed in 1950. The river is 500 meters wide and around 5 kilometers long. This is the ideal place in whatever season to live in harmony with uncontaminated nature.

Encompassing the shore of the lake are routes for walking and biking. Here it is possible to find benches, rest areas, refreshment stands, and beaches furnished with bath houses. There is also La Gravara, which is ideal for bathing, sunbathing or skateboarding.

In this park one finds the Marsican brown bear, the Apennine wolf, the Abruzzo antelope, lynx, deer, Abruzzo roe deer, martens, wild cats, royal eagles, white-backed woodpeckers, royal owls, imperial deer, coot, gray herons, Orsini vipers, yellow-bellied toads, trout, white flowers, and alpine roses.

There are 67 species of animals, 230 species of birds, and many flowers to see. You can also visit the Val Fondillo, the panorama of the viewpoint of Barrea, the historic center and the tower of Barrea, La Camosciara, and the cycle and pedestrian paths around the lake of Barrea.

If you go for a visit, we advise you to avoid the summer season because it is crowded. It is better to choose springtime or the beginning of summer when nature is awakening. Otherwise, choose autumn when the forest is putting on vivid colors. Whatever season you choose, you will have an enchanting time.

VOCABOLARIO

Parco Nazionale d'Abruzzo

attrezzate: equipped
balneare: seaside, bathing area
borgo: village
ciclabile: bikeable
incontaminato: uncontaminated
lido: shore
marsicano: Apennine brown bear
Marsicano della Marsica: region of Abruzzo
panchine: inches
pattinando: skating
pedalo: pedal boats
pedonali: walkway
percosi: routes
ristorare: to refresh or restore
reale: royal
realizzato: became, was made
sbarramento: dam
sosta: stop
sponde di fiume: banks of the river
sponde di mare: shores of the sea
vette: peaks
villetta: small house

10. SPIAGGE D'ABRUZZO

Avevo una Zia Agata che con sua famiglia abitava a Pescara. Quando ci venivano a trovare, parlavano sempre delle belle spiagge di Pescara e di Montesilvano nel nord e Francavilano al Mare nel sud del Porto di Pescara. Ci sono andata una volta e mi sono divertita sulla spiaggia. Mi sono soltanto bagnata i piedi perché avevo paura del mare e delle onde. La mia cugina Anna era la mia età e lei mi

Nonno Giovanni e Nonna Egizia alla spiaggia di Pescara in Abruzzo. Nonno Giovanni and Nonna Egizia at the Pescara beach in Abruzzo.

faceva vedere le belle **cartoline** delle spiagge nord di Pescara. Anna cominciava con la sua preferita che era Giulianova e aveva molte file di **ombrelloni** da spiaggia sulla **sabbia** bianchissima. Ogni albergo aveva i suoi **ombrelloni** di soltanto un colore. Nel Nord c'era Francavilla che aveva **ombrelloni** coperti d'**erba** lunga. Un po' più nord c'era Alba Adriatica con le spiagge coperte di molti **ombrelloni** colorati differenti per ogni albergo e non si vedeva la **sabbia**.

Dopo Giulianovo c'era Vasto che era bellissimo. Poi c'era Ortonoa con bella **sabbia** e un bellissimo **faro** visitato da molti turisti ed altri. Tutte queste spiagge erano nord di Pescara. Le spiagge dopo Pescara sono molto **carine**. Cominciando con Pinetto che ha delle **sezione** affollate ed anche alcune parte vuote. Dopo viene Il Rosetto d'Abruzzo. Questo è **lunghissimo** ed anche **largo**. Anna mi ha detto di San Vito Chietino e Penna che hanno lunghe spiagge con **edifici** vicini e molti ombrelloni.

Anna ed io giocavamo insieme ed andavamo nella sua camera da letto. Una sera ci siamo messe nei **cassetti** della sua **cassettiera** ed abbiamo caduto con la **cassetiera** al pavimento. Il **rumore** ha fatto venire le nostre mamme velocemente. Per fortuna noi eravamo ancora vive ma molte **impaurite**. Questa lo ricordiamo anche adesso. Quando ho visto Anna anni fa è stata la prima cosa di che abbiamo parlato.

THE BEACHES OF ABRUZZO

I HAD an Aunt Agata who, with her family, lived in Pescara. When they came to visit us, they always talked about the beaches of Pescara and Montesilvano just north, and Francavilano al Mare just south of the Port of Pescara. I went one time and had fun in the sand, but I only wanted to wet my feet in the water. I was afraid of the sea and the waves.

My cousin Anna was my age, and she would let me see the beautiful postcards of the beaches north of Pescara. Anna began with Giulianova, which was her favorite. It had many rows of umbrellas on the very white sand. Every hotel had its own color umbrellas. In the north was Francavilla, which had umbrellas covered with long grasses.

North of that was Alba Adriatica with the beach covered with colored umbrellas of each hotel. The sand was hidden by the umbrellas. After Giulianova there was beautiful Vasto, followed by Ortona, which had sand and a beautiful lighthouse visited by tourists and others.

All these are north of Pescara. South of Pescara there are also cute beaches. First is Pinetto, which has crowded sections as well as empty sections. Next comes il Rosetto di Abruzzo. This is very long and wide. Anna told me of San Vito Chietino e Pinna, which have long beaches with buildings next to them and many umbrellas.

Anna and I played together because we were about the same age. We always went in her bedroom to play. One night we climbed in two of the drawers of her bureau and tipped it over, making a loud noise. The mothers came quickly to see. Luckily, we were still alive but very frightened. This we still remember. When I visited Anna years ago, it was the first thing that we talked about.

VOCABOLARIO
Le Spiagge d'Abruzzo

caduto: fall
carine: cute
cartoline: postcards
cassetti: drawers
cassettiera: chest of drawers
edifici: buildings
erba: grass
faro: lighthouse
largo: wide
impaurite: frightened
lunghissimo: very long
ombrelloni: beach umbrella
rumore: noise
sabbia: sand
sezione: section

·» 11. L'AQUILA «·

Avevo uno Zio Feliciano ed un **monaco** Zio Padre Federico che abitavano alla città d'Aquila. Erano i fratelli di Nonna Egizia e Zia Rocca. Zio Feliciano era un **preside** (**direttore**) del Liceo di Pescara. Aveva quattro figli. Suo primo figlio, Ricardo, voleva essere professore anche lui. Zio Feliciano era **stempiato** e sembrava proprio come un professore vero. Quando veniva a visitare i miei nonni, ci raccontava della sua bella città d'Aquila. Ci diceva di tanti castelli nel dintorno con bellissimi borghi e bellissime viste dalle montagne e laghi. Nell'Aquila i monumenti sono tanti. Uno dei più interessanti è la fontana con 99 getti in Piazza di Porta Rivèra. L'Aquila è la più grande città con Università famosi. È il capoluogo della Provincia d'Aquila ed anche il capoluogo di tutto Abruzzo.

Nel 2009 durante un terremoto molti studenti stavano aspettando

---

Due zii di Egizia che vivevono all'Aquila. Federico era un frate francescano e suo fratello, Feliciano, era il preside del liceo. Two of Egizia's uncles who lived in Aquila. Federico was a Franciscan monk, and his brother, Feliciano, was a high school principal.

di tornare a casa e sono stati tra i 308 morti. Circa 1,500 sono stati feriti e circa 60,000 senzatetto.

Nel 1989 il Parco Regionale **Sirente Velino** è stato estabilito con 218 miglia quadrate. Sirente Velino è come gli altri parchi d'Abruzzo dove si trova Monte Magnola e Campo Felice per sciare e campeggio, ecc., sempre ben attrezzati. Il nome L'Aquila era un uccello dei Romani. La città è 714 metri sopra dal livello del mare ed è anche la più alta città di tutte le regione d'Italia.

Zio Padre Federico abitava al Convento di San Giuliano fondato nel 1415. Anche lui veniva a trovare i miei nonni. Zio Federico mi ha imparato di pulire il mio piatto con un po' di pane cosi sembrava di essere pulito: "fare la scarpetta." Mi diceva che tutti i frati ogniuno doveva pulire il suo piatto ad ogni pranzo e non lasciare **nemmeno** una **mollicola** sul piatto. Padre Federico mi raccontava del suo convento dei Frati Francescani Minori. Nel suo convento avevano una chiesa dello **stilo Barocca** dal secolo sedici ed anche I Tre Re affreschi dal secolo diciotto.[1]

L'AQUILA

I HAD an Uncle Feliciano and an Uncle Padre Federico, who was a monk. They lived in the city of L'Aquila.

Uncle Feliciano was a principal or director of a high school of Aquila. He had a son, Ricardo, who wanted to be a professor like his father. Uncle Feliciano had a receding hairline and seemed like a good professor. When Uncle came to visit my grandparents, he would tell us about his city, its many beautiful castles with beautiful villages in the area and also beautiful vistas of the mountains and lakes surrounding them. In the city of L'Aquila there were many monuments. One of the more interesting ones was the 99-spigot fountain in Piazza di Posta Rivera.

L'Aquila is the capital of the Province of Aquila and also its largest city, with its famous university. In 2009 during an earthquake

1 *Website: Convent of San Giuliano–L'Aquila (conventosangiuliano.it)*

many students were waiting to return home and were among the 308 killed. About 1,500 people were injured and an estimated 60,000 left homeless.

In 1989 a new park was created, the Regional Natural Park of Sirente Velino. It is 218 square miles. This park is like the other parks of Abruzzo. Here we find Monte Magnola and Campo Felice for skiing, camping, etc., always well equipped in all areas. The name Aquila means eagle, a bird used by the Romans. Aquila is 714 meters above sea level, and it is also the highest capital of all the Italian regions.

My uncle, Father Federico, the monk, lived in the Convent of St. Giuliano, established in 1415. He also came to visit my grandparents. Uncle Federico taught me to wipe my plate with a little bread so that it would seem to be clean. He would tell me that all the monks, each one, had to leave his plate clean at every meal and never leave a crumb of food on the plate. This was called *la scarpetta*.

Father Federico would tell me about his convent and his Franciscan Brothers, who were a minor order. In his convent there was a church in the Baroque style with frescos from the sixteenth century and also the Three Kings fresco from the eighteenth century.

VOCABOLARIO
L'Aquila

affreschi: frescoes
barocca: baroque
direttore: director
mollicola (briciola): crumb
monaci (old: monachi): monks
monaco: monk
nemmeno: not even
preside: principal
Sirente Veline: new Regional National Park (1989)
stempiato: receding hairline
stilo: style
terremoto: earthquake

12. CAMPO DI GIOVE

MIA Zia Maria era la sorella di mio padre. Con la sua famiglia abitavano a Campo di Giove. Questo era nella provincia d'Aquila e era nella Maiella Parco nel Sudovest. Questo è bellissimo per vacanze invernale dove si poteva sciare e nelle altre stagione, si facevano campeggi, escursione, e ammirare la natura ed uccelli. Sul internet si può

Egizia, all'estrema destra, posa con i suoi parenti a Campo di Giove. Egizia, at the far right, poses with her relatives at Campo di Giove.

vedere Campo di Giove **Trekking** web camera. Nel 1950 mia zia e suo marito comprarono un albergo a Campo di Giove che si chiamava **Hotel Zeus.** (Zeus è il dio greco; Giove è il dio romano.) Siamo andati a vedere la zia e famiglia. L'albergo, Hotel Zeus, era con monti e alberi di pini cosi, si chiamava la pineta. Quando siamo arrivati col treno, Zia Maria ci incontrò. Salimmo la lunga scalinata verso l'albergo un po' fuori del paese. **La Piazza Duval** eral il centro del paese. Il panorama è soltanto una metà del paese. La strada principale fa vedere le montagne della Maiella.

Al Albergo Zeus ho incontrato le mie cugine e siamo andate fuori a **cogliere** i fichi. Io non avevo mai raccolto dei fichi. Loro presero un **bastoncino** lungo quasi due metri con un **gancio** alla cima. Mi hanno portate con loro. Col bastoncino potevamo cogliere i fichi e gli mettevammo nel **secchio**; però ne abbiamo mangiato molti con la buccia. Il giorno dopo abbiamo dovuto stare tutte e tre a casa perché avevamo la **diarrea.** Il giorno dopo però non c'era neve per sciare dato che era agosto e così siamo andate ad esplorare i **sentieri** e vedere dove si andava a fare trekking nella montagna.

Può darsi nel futuro possiamo anche noi fare trekking per molti giorni.

CAMPO DI GIOVE

AUNT Maria was my father's sister. Her family lived in Campo di Giove in the province of Aquila in the Southwest of the Maiello. This is very beautiful for a winter ski vacation. In the summer there were opportunities for camping, excursions, admiring nature, and bird-watching. On the internet one can see Campo di Giove trekking web cameras. My aunt and her husband in 1950 bought a hotel in Campo di Giove called Hotel Zeus. (Zeus is the head Greek god and Giove is the Roman equivalent.) We went to see my aunt and family in 1951. There were mountains, ski slopes, and a group of pine trees called *pineta*. When we arrived on the train, my Aunt Maria met us and we went up the long stairs towards the Hotel Zeus on the edge of town. The Piazza Duval was the center of the town. The panoramic picture in the postcard is only half of the town. The main street postcards show the mountains in the background.

At the Hotel Zeus I met my cousins. We went outside to pick figs, which I had never done before. My cousins took a stick about two meters long and brought me to the trees with figs ready to pick. At the end of the two-meter stick there was a hook with which we could pick the figs and put them in a pail. However, we ate a lot of them with their skin. The next day all three of us had to stay in the house because we had diarrhea. There was no snow for skiing since it was August, so we went to explore the paths in the mountains and see the overnight trekking trails that went for miles.

Perhaps in the future we can go trekking for many days.

VOCABOLARIO

Campo di Giove

bastoncino: stick
Campo di Giove: a place in the province of Aquila
cogliere: to pick the harvest
diarrea: diarrhea
gancio: hook
Hotel Zeus: hotel in Campo di Giove
Piazza Duval: the center of Campo di Giove
può darsi: perhaps
scalinata: stairway
secchio: pail
sentieri: paths
trekking: paths not beaten down

13. ZIO VINCENZO, IL FRATELLO DI MIO PADRE

Zio Vincenzo era il fratello minore di mio padre. Si chiamavano "**frat**" per fratello. Zio se ne andò a Napoli per studiare ad essere un poliziotto. Quando si laureò, incominciò come poliziotto segreto a lavorare a **Torre Annunziata**. Dopo pochi anni diventò il **Maresciallo** Santilli. Il **grado** più alto nella **gerarchia** dei sotoufficiali. Torre Annunziata era in periferia di Napoli.

Si sposò con Luisa che viveva a Trè Case e cosi anche lui visse lì proprio ai piedi del vulcano, Vesuvio. Quando visitava i suoi genitori a Pratola, Zio sempre ci parlava della sua casa proprio sulla strada che sale sul monte fino al cratere del vulcano. Zio diceva che adesso non è pericoloso vivere a Trè Case perché tutti gli abitanti pagavano una ditta per fare l'analisi sull'attività del vulcano. C'era anche un buon

Frat: Giuseppe, padre di Egizia, e suo fratello, Vincenzo Santilli/ Bro Giuseppe, Egizia's father, and his brother, Vincenzo Santilli

piano per lo sfollamento di tutti gli abitanti usando grandi navi se per caso il Vesuvio aveva un'eruzione. Non succederebbe la stessa cosa come quando il vulcano nel 79 A.D. distrusse tutto l'intero di Pompeii ed Ercolano.

Zio ci portava **Taralli** che sono pretzel o **taralluccio** di Napoli. Zio ci parlava sempre di Napoli ed anche la strada Spaccanapoli che taglia la città in due. Lui ci diceva del Museo Archeologico Nazionale che è uno dei più importanti musei del mondo. Mi diceva che dovevo andare a vedere Castel Nuovo col bel arco nel entranza. Anche vedere dove la pizza margherita è stata inventata. Ci diceva di Caserta dove c'era il Palazzo Reale molto bello. Dentro e fuori c'erano statue di marmo. C'era in dietro del Palazzo un monte altissimo che aveva acqua che scorreva in specchi riflessivi d'acqua, decorate con molte statue, che finivano al Palazzo Reale.

Ci sono anche molte altre cose da vedere a Napoli. C'è la **facciata** di Jesu Nuovo che ha tanto marmo colorato dentro la chiesa con tante pitture da molti pittori bravi come Ribera. Da non dimenticare è il santo patrono di Napoli, San Gennaro, che si celebra il 19 settembre. Lui era **vescovo** di Benevento che morì nel 305 A.D. come martiro dai romani. In ogni città fuori Napoli la gente celebra con tante feste il giorno di San Gennaro. Altro da vedere è la Galleria Umberto I costruita nel 1887 e rifatta dopo la seconda Guerra Mondiale. Opposto questo c'è il teatro San Carlo nella Piazza della Galleria che è la più grande casa d'opera in Italia.

Quando sono ritornata a visitare mio Zio, gli ho detto che volevo andare a Napoli. Lui mi disse che Napoli era chiuso. Dope due giorni mi disse che potevamo andare a Napoli con lui e sua nipote Elena. Così siamo andati a vedere le belle parte di Napoli. Ogni posto che Zio ci portava lui conosceva le persone e lo chiamavano Maresciallo Santilli. Non abbiamo pagato per l'ingresso a nessun palazzo. Penso che Zio abbia pagato lui per tutto in anticipo. Zio è stato molto gentile a fare quello. Ma le prossime volte non gli abbiamo detto dove volevamo andare perché lui si metteva **incarico** di farlo per noi. Cosi ci abbiamo imparato la nostra lezione.

·» ZIO VINCENZO «·

Zio Vincenzo was my father's baby brother. They called each other "Frat" (short for *fratello*). Zio went to Naples to study to be a policeman. When he graduated, he became an undercover policeman in Torre Annunziata in the suburbs of Naples and later became the marshal, the highest rank in the senior officer hierarchy.

He married Luisa and lived in Trecase, which is right below the volcano, Mt. Vesuvius. When he came to visit his parents, Zio always talked about his house under Mt. Vesuvius. His road even reached the crater. Zio would say that it was much safer to live there now because the residents paid for people to monitor the volcano, and there was a plan in place to move people away from the volcano if there was an eruption. Unlike the eruption of 79 A.D. when Pompeii and Herculaneum were destroyed, boats would take people away quickly.

Zio always brought Taralli with fennel or traditional or with hot peppers. They are known as the pretzels of Naples. Zio would always talk of Naples. There was a street known as **Spaccanapoli** because it cut the city in two. He loved talking about the Museo Archeologica Nazionale, one of Naples most famous museums. He would tell me that I needed to see the Castel Nuovo with the triumphal arch entrance, also where the Pizza Margherita was invented, and Caserta, with marble statues and reflective pools coming down from the mountain to the Royal Palace. There were also many other sights to see, such as the Jesu Nuovo embossed façade, which has a colored marble interior and huge paintings, including some by Ribera. Not to be forgotten is the patron saint of Naples, San Gennaro, whose feast day is September 19. Gennaro or St. Januarius was the bishop of Benevento. He was martyred by the Romans in 305 A.D. In every city surrounding Naples, people celebrate St. Gennaro on September 19 with street fairs. Last to be seen is the Galleria Umberto I, built in 1887 and rebuilt after World War II. Facing it is the Teatro San Carlo, Italy's oldest opera house.

Later on, when I visited my uncle with my husband, we told him that we wanted to see Naples. Zio said that Naples was closed. However, two days later he told us it was open and took us to Naples with his granddaughter, Elena, to see these sights. Everywhere we went there was always some guide that would bring us through the site and would always refer to my uncle as Marshal. We did not have to pay for anything. We think that he paid for it ahead of time. From then on, we never told him where we wanted to go because he would arrange it all for us. We had learned our lesson.

VOCABOLARIO
Zio Vincenzo

facciata: façade
frat: "bro," short for *fratello*, brother
gerarchia: hierarchy
grado: degree
in anticipo: ahead of time
incaricare: in charge
maresciallo: marshal
poliziotto: police officer
segreto: undercover
patrono: patron saint
periferia: suburb
sfollamento: evacuation
sottoufficiale: non-commissioned officer
Spaccanapoli: street in Naples that divides the city
taralle, con rosemarina, originali, peperoncini: pretzels with rosemary, original flavor, peppers
taralluccio: pretzel
Torre Annunziata: a city and commune in the Metropolitan City of Naples
vescovo: bishop

·» 14. ZIA LUISA «·

NEL 1951 Zio Vincenzo si sposò con Luisa Cirillo a Trecase. Luisa era la prima figlia dei suoi genitori così il matrimonio è stato un granchè. I genitori di Luisa avevano costruito un altro piano sopra della loro casa. I nuovi sposi vissero al di sopra dei loro genitori. Quella è un'abitudine di Napoli, che i genitori **provvedono** una casa per i figli quando si sposano. Zio Vincenzo e Zia Luisa, anche loro, quando si è sposato il figlio **maggiore**, Giovanni, con Anna, hanno costruito un altro piano sopra loro. L'altro figlio, Alfonso, ha trovato lavoro a Milano e così lui abita lì con la sua famiglia.

Zia Luisa era una buona cuoca. Mi ha regalato il migliore libro per le cuoche d'Italia che si chiama *Artusi, La scienza in cucina e l'arte di mangiar bene.* L'autore è Pellegrin Artusi. Un altro libro dalla Zia

---

Zia Luisa sta godendo il sole nel cortile della casa di Egizia. Egizia's aunt, Luisa, is enjoying the sun in Egizia's backyard.

Luisa, *Frijenno Magnanno*, da Luciano DeCrecenzo, è di Napoli ed ha tante ricette napoletane. Questi sono i libri che uso sempre come base per le mie creazioni. Un altro libro che leggo per divertimento e conoscenza è *Storia dei Maccheroni - Con cento ricette e con pulcinella mangiamaccheroni*. È molto divertente, insegna molte ricette antiche, e racconta cose importante della storia e usanza dei maccheroni. "Mangiamaccheroni" è una parola che riferisce ai napoletani perché mangiano molto pasta. È uno dei miei libri che preferisco leggere per rilassarmi. Ho messo le ricette della Zia Luisa nel Appendice A.

Una volta quando Frank (mio marito) ed io siamo andati a visitare i zii di Napoli, mia zia chiese a mio marito di mettere nell' **autorimessa** un motore per aprire la porta **automaticamente.** Mio zio prese Frank per la mano e Frank mi **acchiappò** per mia mano e andammo tutti giù le scale uno **tirando** l'altro. Quando siamo arrivati all'**autorimessa,** mio zio trovò il motore e disse a Frank, "Sei un **ingeniere.** Ho questa **serranta elettrica** e tu allora la puoi installare qui." Zio mi diede i fogli di **spiegazione.** Frank salì la **scala a pioli** e mi disse di leggere in italiano e fare la traduzione per lui. **Con riconoscenza** tutto è andato bene e la porta si poteva aprire e chiudere senza problemi. Da quel giorno in poi mia zia è stata sempre contenta con mio marito. Non le importava che non parlava bene l'italiano ma era abbastanza intelligente.

Zia Luisa e le sue nipote, Elena e Luisa, sono venute a visitarci. Siamo andati in macchina a vedere le **cascade** di Niagara. In Canada abbiamo indossato **impermeabili** blu per andare nelle barche andando proprio vicino le cascade. Nel lato americano, abbiamo camminato sulle scaline delle cascade e abbiamo indossato gli impermeabili gialli. Un altro giorno siamo andati dietro le cascade nel lato canadese. Durante la sua visita siamo anche andati in macchina a visitare la mia famiglia ad Halifax, Nova Scotia, dove Zia ha rivisto mio padre e mia madre ed ha conosciuto, quelli nati ad Halifax che non l'avevano mai incontrato: Giovanna, Anna, Elena e Venanzio. Ad ogni casa abbiamo festeggiato molto con cibo e **chiacchiere.**

Siamo andati anche a visitare Washington, D.C., per via di New York City. Tutte di loro sono state contente di vedere le città, specialmente la Casa Bianca, ma non avevano il tempo per visitare Disney World in Florida. Sono state triste a lasarci ma contente di ritornare a Trecase.

ZIA LUISA

IN 1951 Zio Vincenzo, married Luisa Cirillo at Trecase. Luisa was the first daughter of Mr. and Mrs. Cirillo, so the wedding was a big deal. Her parents built another floor above their house where the newlyweds lived. It was the custom in Naples that the parents provide a house when their daughter or son got married. Later, Vincenzo and Luisa likewise provided a home for their son, Giovanni, by building another apartment above their floor. The other son, Alfonso, found work in Milan, and he lived there with his family.

Zia Luisa was a good cook. She gave me the best book for Italian cooks. It is called *Artusi: The Science of the Kitchen and the Art of Eating Well* by Pellegrino Artusi. Another book, *Frijenno Magnanno,* by Luciano DeCrecenzo, has many good recipes from Naples. These are the books that I always use as a basis for my creations. Another book I read for fun and knowledge is *History of Macaroni – With a Hundred Recipes and with Pulcinella Mangiamaccheroni.* It is one of my favorite books to read to relax. It is a lot of fun to read these old recipes that tell us about the history and customs of macaroni. "Mangiamaccheroni" is a word to refer to the Neapolitans because they eat a lot of pasta. I have put some of Zia Luisa's recipes in Appendix A.

One time when my husband and I visited them, Zia Luisa asked my husband, Frank, to install the garage door opener on the door so that it would open electrically. My uncle took Frank by the arm and Frank grabbed my hand and we all went down the stairs one pulling the other. When we arrived at the garage, my uncle found the opener and gave me the directions in Italian, which I in turn translated to Frank while he was on the stepladder. Zio said to Frank, "You are an engineer. You can do this." I set out to translate Italian to English. Frank would listen and do what I read to him. It was great. All went well. The door could open and close without problems. From that day on my aunt was very happy with Frank. She didn't care whether he spoke Italian or not. In her book he was intelligent.

Zia Luisa and her granddaughters, Elena and Luisa, came to visit us. We drove to see Niagara Falls. In Canada we wore blue raincoats on the boats going right next to the falls, and on the American side, we walked the steps of the cascades and wore yellow raincoats. Another day we went behind the falls on the Canadian side. During her visit we also drove to visit my family in Halifax, Nova Scotia, where Zia saw my parents and siblings, those born in Halifax whom they had never met: Giovanna, Anna, Elena, and Venanzio. At each house we celebrated a lot with food and chatter. We also went to Washington, D.C., via New York City. They were happy to see the cities, especially the White House, but didn't have the time to visit Disney World in Florida. They were sad to leave us but happy to return to Trecase.

VOCABOLARIO

Zia Luisa

abitudine: habit
acchiappato: grabbed
automaticamente: automatically
autorimessa: garage
cascade: waterfalls
chiacchiere: to chat
con riconoscenza: thankfully
dato che: since
ingeniere: engineer
impermeabili: raincoats
maggiore: older
provvedere: provide
scala a pioli: stepladder
serranta elettrica: electric opener (rolls)
spiegazione: papers that explain, directions
tirando: pulling

15. ZIO ANTONIO

Zio Antonio era il fratello di mia madre. Lui studiò a Roma per essere un **macchinista** sui treni che partivano da Roma Centrale e andavano per tutta l'Italia.

Molte volte Zio faceva lunghi viaggi con i treni. Quando veniva a Pratola Peligna a vedere i suoi genitori, veniva anche a visitarci che eravamo dieci minuti lontano da Nonna Giuseppa. Lui ci portava delle belle caramelle dalle altre città. Molte avevano liquore dentro e mi piacevono di più. Zio andava sempre a vedere la sua **fidanzata,** Giuseppina.

Zio sposò Zia Giuseppina in Gennaio 1952. La mia foto con le cugine e cugini è dal suo matrimonio. Dopo il matrimonio i nuovi **sposi** hanno visuto a Trastevere in un condominio.

Lo zio di Egizia, Antonio, è l'uomo alto all'estrema destra in questo gruppo di amici all'ordinazione di un cugino della sua moglie. Egizia's uncle, Antonio, is the tall man on the far right in this group of friends at the ordination of his wife's cousin.

In Marzo 1952, io, mia madre e mia **sorellina**, Felicia, siamo andate a Roma per ottenere un visto di buona salute dal **consolato** canadese. Dovevamo partire in Aprile per **raggiungere** mio padre che era già ad Halifax, Nova Scotia.

Al ritorno dalla visita dal **consolato** abbiamo preso il direttissimo treno per Pratola. Io e mia sorella siamo andate al bagno senza dirlo a Mamma. Mamma non ci aveva visto e lei scesa dal treno. Eravamo sorprese che il bagno era cosi piccolo e che il gabinetto non aveva un fondo. Potevamo vedere le rocce della ferrovia. Io e Felicia abbiamo visto il treno partire con noi nel bagno. Quando siamo uscite, non abbiamo trovato Mamma. Cosi siamo **scoppiate** a piangere fortissime a **singhiozzi.** Il **controllore** ci ha calmato e ci ha detto che mamma ci aspettava alla prossima fermata. La fermata era all'**improvviso** perché questo era il treno veloce. Mamma era lì aspettandoci. Abbiamo dovuto ritornare a Roma Centrale e riprendere un altro treno per ritornare a Pratola.

Mia sorella **da quel tempo in poi** era sempre **appiccicata** alla mano di Mamma o pure aveva la gonna di mamma in mano. Adesso non so come mai mia mamma arrivò alla stazione prima di noi.

ZIO ANTONIO

ZIO Antonio was my mother's brother. He studied in Rome to be an engineer on the trains that left Roma Centrale and went all over Italy.

Many times Zio made long trips on the trains. When he would come to Pratola Peligna to see his parents, he also came to see us because we were a ten-minute walk from Mom's parents' house. He always brought us candies from other cities. Many candies had liquor in them and those I loved the most. Zio also went to see his fiancée Giuseppina.

Zio e Giuseppina were married in January 1952. After the wedding the newlyweds lived in the Trastevere section of Rome in a condominium. That is where Zia Guiseppina still lives.

In March 1952, Mom, my sister Felicia, and I went to Rome to obtain a health clearance from the Canadian Consulate. We would leave in April to live with our father in Halifax, Nova Scotia.

On the way back from the consulate, we took the direct train to Pratola Peligna. My sister and I went to the bathroom without telling our mother. Mamma did not see us, and she got off the train. We were surprised that the bathroom was so small and that the toilet did not have a bottom. We could see the rocks between the tracks. We saw the train leave with us in the bathroom. When we came out, we couldn't find Mamma, so we burst out crying and sobbing loudly. The conductor came and calmed us by saying that Mamma was waiting for us at the next stop. The stop was unscheduled for this train because it was a fast train. Mom was there waiting for us. We had to return to Roma Centrale to get another train to return to Pratola.

From then on my sister was always hanging onto Mom's skirt or had Mom by the hand. I do not remember how it was possible that my mother was able to arrive at the station stop before us.

VOCABOLARIO

Zio Antonio

appiccicata: cling to or stick to
consolato: consulate
controllore: conductor
da quel tempo in poi: from that time on
fidanzata: engaged
improvviso: sudden stop
macchinista: train engineer
nuovi sposi: newlywed
riaggiungere: to meet up
scoppiare: to burst into tears
singhiozzi: hiccup, sobbing
sorellina: little sister
vissuto: lived (past participle of *vivere*)

16. ZIA GIUSEPPINA

GIUSEPPINA abbitava a Pratola ed andava a scuola con mia madre. Loro erano compagne. Quando Mamma andava a **passeggiare** nel corso, suo fratello Antonio ci andava anche lui. Mamma si **incontrava** sempre con Giuseppina, la sua cara compagna. A Pratola si andava per una passeggiata ogni sera verso le 8:00 o le 9:00. Il passeggio, o il **corso,** cominciava a Piazza Garibaldi e finiva a Piazza della Madonna. Passeggiavano tutti del paese, che volevano incontrare e conosceri altri giovani. Facevano molti giri del corso prima di ritornare a casa.

Dopo un po' di tempo Zio Antonio si **innamorò** con Giuseppina

Zia Giuseppina, Egizia, e sua cugina, Mariapina. Egizia's aunt, Giuseppina, Egizia, and her cousin, Mariapina.

e si sposarono. Hanno avuto due figlie, Mariapina e Brunella. Poco dopo che Zio Antonio fu **defunto,** Frank, mio marito, ed io **abbiamo cominciato** a viaggiare e visitare Zia e le cugine di Roma. Ogni volta che andavamo Zia **rimpiangeva** che non siamo venuti quando Zio era vivo. **Difatto** anche noi si sentivamo molto tristi.

Zia mi domandava perché Frank era **sordo** e **muto.** Lei voleva che Frank parlasse italiano. Frank lo sapeva un po' perché studiava l'italiano ascoltando gli nastri prima di partire per l'Italia. Ma non parlava perché non era pronto. Finalmente cominciò a parlare in italiano con Zia e la fece molto contenta. Molte volte lei domandava a Frank di aggiustare la sua televisione. Frank lo faceva volentieri. Zia gli diceva che non era più sordo e muto. Zia si divertiva ha portarci a vedere i passeggi nei bei parchi di Trastevere. C'è Villa Doria Pamphilij che è cosi grande che molti ci vanno a correre, o giocare nei campi, oppure fare una bella passeggiata. Le mamme andavano là con bambini in passeggini.

La più piccola era **Villa Sciarra** dove c'erano **giostre** per i bambini e **campi di recreazione** per tutti. Qui c'era anche una buona gelateria.

Il terzo parco è il **Gianicolo** dove si vedono tanti **busti** dei **Garibaldini** sulla collina. Alla cima si vede una bella statua di Garibaldi a cavallo e più lontano c'è anche una di Anita de Jesus Ribeiro, la sua aiutanta. Da qui si può vedere il Vaticano e se si continua nel viale delle Mura Aurelie si arriva al Vaticano.

Al Colle Aventino si vede tutto la cupola del Vaticano nel **buco della serratura** della chiesa Santa Maria del Priorato di Malta. Anche nel monastario si vende la migliora liquirizia del mondo, secondo me.

ZIA GIUSEPPINA

GIUSEPPINA lived in Pratola and went to school with my mother. When Mom went walking along the avenue, her brother Antonio would go with her. Mom often met Giuseppina, her dear friend.

In Pratola everyone went for a promenade from eight or nine. The walk began at Piazza Garibaldi and finished at Piazza della Madonna. Everyone in town who wanted to meet or make new friends went for this walk. It was repeated many times before going home.

After a while Zio Antonio fell in love with Giuseppina, and they got married. They had two children, Mariapina and Brunella. A little after Zio Antonio died, Frank and I started travelling, and we went to Rome to visit Zia and the girls. Every time we went, Zia always remembered with melancholy that we did not see Zio Antonio when he was alive. In fact, we were also sad for not coming.

Zia would ask me why Frank was deaf and dumb. She wanted Frank to speak Italian. Frank would study Italian by listening to tapes but was not comfortable speaking. Finally, after a few visits, Frank did start to speak. Zia was happy. Many times she would ask Frank to adjust her television. Frank would do so, and Zia would say to him that he was not deaf and dumb any more.

Zia Giuseppina enjoyed taking us to see the beautiful parks of Trastevere. There is Villa Doria Pamphilij that is so big that many go for a run and play games in the fields or go for a long walk. Mothers push their babies in strollers.

The smallest park is Villa Sciarra, where there is a merry-go-round for children and a playground for everyone. Here there is also a good ice cream shop.

The third park is the Gianicolo, where one can see many rows of busts of Garibaldini on the hill. At the top there is a beautiful statue of Giuseppe Garibaldi on a horse and, a little further on, another of his assistant, Anita de Jesus Ribeiro. From here one can see the Vatican, and if one continues on Viale Delle Mura Aurelie, one can reach the Vatican.

On the Aventine Hill one can see all of the cupola of the Vatican from the keyhole of the Church of Santa Maria del Priorato di Malta. Also at the monastery, one can buy the best licorice in the world, according to me.

VOCABOLARIO

Zia Giuseppina

abbiamo cominciato: we began
buco della serratura: keyhole
busto: bust
campi di ricreazione: playground
corso: avenue or promenade; a road between two piazzas where everyone would take an evening walk
defunto: died
difatto: in fact
Gianicolo: a park in Travestere, Rome
Garibaldi: an Italian general, patriot, revolutionary, and republican; one of the "fathers of the fatherland"
Garibaldini: followers of Garibaldi
giostre: merry-go-rounds
incontrare: meet
innamorato: fall in love
muto: dumb, unable to speak
passegiare: to walk
rimpiangeva: regretted
seguiranno: follow
sordo: deaf
Piazzale Garibaldi: villa in Trastevere
Villa Doria Pamphili: villa in Trastevere
Villa Sciarra: villa in Trastevere

17. MIA CUGINA ELENA-EMIGRAZIONE E IMMIGRAZIONE

Mia cugina Elena mi scrisse il 9 dicembre 2012 questo **tramite** e-mail. Elena è la figlia di Giovanni, il figlio di Zio Vincenzo. Abitano a Trecase ai piedi di Mt. Vesuvio. Mia zia e zio abitano lì anche. Ecco posta elettronica:

Ciao Egizia,

*Come state? Tutto bene? Qui a **Trecase** tutto bene, fa freddissimo, siamo arrivati a 2° Celsius e non ci siamo **abituati**, ma non fa niente, il Natale con il freddo è più bello!*

*Ti scrivo per chiederti un **aiuto** (se puoi). Ho **iniziato** un Corso di **prefezionamento** all'Università sull'immigrazione e **poichè** devo scrivere un articolo che poi **pubblicheranno**. Avevo pensato di parlare non dell'immigrazione di oggi ma di quella degli italiani di 60 anni fa. Ti andrebbe di scrivermi, anche in inglese, quello che ti*

Egizia, sua madre Maria e sua sorella Felicia. Questa è la foto sul passaporto per la loro immigrazione al Canada. Egizia, her mother, Maria, and sister, Felicia. This is the passport photo for their immigration to Canada.

raccontava Zio Giuseppe, quello che ti ricordi tu magari del viaggio, o dei primi tempi in Canada? Mi farebbe tanto piacere conoscere la storia della nostra famiglia e raccontarla in questa relazione che devo scrivere.

Grazie, grazie, grazie!

Spero di vedervi presto e ci sentiamo per Natale.

Baci,
Elena Santilli

La mia risposta il 10 dicembre 2012 e stata questa:

Ciao Elena,

Certo che posso **descriverti** *la mia* **immigrazione** *al Canada nel Aprile di 1953.*

Siamo partiti con la nave da Napoli che si chiamava la Neelas. Era una nave della Grecia e i marinai non parlavano italiano. Dire arrivederci a Zio Vincenzo è stato molto difficile. Io volevo stare con zio a Napoli perché erano quattro anni che non avevo visto Papà e non volevo partire. Ho lasciato **l'unico giocattolo** *che avevo con la tua zia Maria. Era una culla con un bambino di plastica che muoveva gli occhi. Gli appriva e gli chiudeva.*

Il viaggio nella nave era buono per i primi tre giorni sul Mar Mediterraneo. Dopo sull'Oceano Atlantico io ho incominciato a vomitare tutto quello che mangiavo. Anche mia sorella faceva lo stesso. Soltanto Mamma non aveva mal dello stomaco. Il cibo era greco cosi non mangiavo molto. Ogni sera ci davano per dolce il budino di tapioca. Mi sembrava il vomito del gatto e non mi piaceva. Anche adesso non mangio il budino di tapioca. Sono stata al letto per 9 giorni. Quando siamo **sbarcate** *ero* **pallida** *come mio coppotto giallo.*

Povero Papà. Io non volevo parlargli. Non potevo parlare a scuola perché nessuno mi poteva comprendere.

Quando pregavano il Pater Nostro a scuola, le parole erano strane per me, e molte volte dicevo parole che erano **bestemmie** *ma io le dicevo lo stesso. Ero nella classe 4 in Italia, ma mi hanno messo alla classe 3 ad Halifax. Per tutto il tempo che sono andata a scuola sono sempre stata in dietro per la mia età. Quando sono venute le vacanze dell'estate avevo delle amiche che venivano a casa per* *giocare ed anche per insegnarmi l'inglese. Durante questa staggione mi sono imparata di nuotare. Mamma ci portava al mare che era vicino a nostra casa, si chiamava Il Northwest Arm, un ventina di minuti di cammino. In settembre già sapevo abbastanza dell'inglese che potevo* ***esprimermi****. Papà mi portava sempre con lui quando gli occorreva aiuto a tradurre e fare tutti i suoi affari, come pagare le tasse, pagare le bollette o reclamare di qualcosa.*

Dec. 11, 2012
Ciao Elena,

Iera era la prima pagina. Vuoi sapere più della storia?

In settembre quando sono ritornata a scuola dopo delle vacanze estive parlavo abbastanza bene. Pero non scrivevo bene perché molte parole non si pronunciano come le parole italiane. Stavo alla 4 classe adesso e la maestra è stata bravissima con me. Dovevo suonare la campana ogni mattina alle 9:00 per l'inizio della scuola. Una mattina ho sbagliato e ho dovuto andare ad ogni maestra per chiederle scusa, dicendo, "I made a mistake Please excuse me for ringing the bell too early." Questa maestra molti anni dopo è diventata professoressa dell'università che si chiama Dalhousie. Lei ancora parlava di me ai suoi alunni. Lei insegnava gli studenti che volevono diventare maestri. Me la ricordo ancora oggi. Era dura ma buona. Si chiamava Miss Anderson.

Quest'anno era ancora 1953. Per Natale Miss Anderson mi ha scelto per essere nel Presepio di Natale. Io ero Maria. Non dovevo fare nulla meno che unire le mani in preghiera. Ero cosi agitata che le mani mi tremavano.

Domani comincierò con jennaio 1954.

Se vuoi ti scrivero domani

Salutami tutti e baci.
Egizia

·»» MY COUSIN ELENA-EMIGRATION AND IMMIGRATION ««·

MY second cousin Elena wrote me this e-mail in December, 2012. She is the daughter of my cousin Giovanni, the son of Uncle Vincenzo, who lives in Trecase at the foot of Mt. Vesuvius. My uncle and aunt lived there too. Here is the e-mail:

Hello Egizia,

How are you? Hope all is well.

Here in Trecase all is well. It is very cold. We have reached 2 degrees Celsius. We are not used to it. But it doesn't matter. Christmas when cold is more beautiful.

I am writing to ask you for help if you can. I am taking a proficiency course at the university on emigration and since I have to write the article that will be published, I decided to write not about emigration of today but rather the one 60 years ago, the immigration into Canada by Uncle Giuseppe and his family. Would you mind writing me, even in English, what Zio Giuseppe (your father) told you and what you remember of the voyage and the first days in Canada? It would give me great pleasure knowing the story of our family and retelling it in my paper that I have to write.

Thank you, thank you, thank you.

Hope to see you all soon and we will hear each other at Christmas.

Kisses
Elena

My answer was this:

Hello Elena,

Of course, I can describe my emigration from Italy. In April 1953 we left by boat from Naples. The boat was called the Neelas. It was a Greek liner and the crew did not speak Italian. To say good-bye to Zio Vincenzo was difficult. I wanted to stay with Zio in Trecase because it had been 4 years since I had seen my father, and I did not want to go. I left my only toy with your Aunt Maria. It was a cradle with a plastic baby whose eyes moved. The trip on the boat was good for the first 3 days on the Mediterranean. Then, on the Atlantic Ocean, I began to throw up everything that I ate. My sister also vomited. Only Mamma did not get sick. The food was Greek, so I wasn't eating much. Every night they gave us tapioca pudding for dessert. It seemed like the vomit of a cat, and I did not like it. Even now I do not eat it. I was in bed for 9 days. When we disembarked, I was pale just like my yellow coat that I wore.

Poor Papà. I did not want to talk to him. I couldn't talk in school because no one could understand me. When I prayed the Our Father at school, the words were strange to me and many times I would say words that were curse words in Italian, but I still said them.

I was in the fourth grade in Italy, but they put me in the third grade in Halifax. All the time that I was in school, I was always a year behind my age. When summer vacation came, I had some friends that would come to play at my house to teach me English. During this season I learned how to swim. Mamma would bring us to the beach that was near our house and was called the Northwest Arm. A good 20-minute walk.

By September I already knew enough English to express myself. Papa would bring me with him when he needed help in translating and doing business, such as paying the taxes, paying the bills, or complaining about something.

December 11, 2012
Hello Elena,

Yesterday was the first page. Do you want to know more of the story?

I finished in September.

When I returned to school after the summer vacation, I spoke well enough. However, I did not write well because the words were not pronounced like the Italian words. I was in the fourth grade now. The teacher was very good to me. I had to ring the starting bell every morning at 9:00. One morning I made a mistake and I had to go to all the other teachers and say, "I made a mistake. Please excuse me for ringing the bell early."

This teacher many years later became the director of Dalhousie

University Education department. She would still talk about me to her students who wanted to become teachers. I remember her even now. She was severe but kind. Her name was Miss Anderson. This was 1953. For Christmas Miss Anderson chose me to be in the Nativity scene. I was Mary. I had nothing to do except join my hands in prayer. I was so nervous that my hands seemed to tremble.

Tomorrow I will begin with January 1954.

If you want, I will write tomorrow.

Good wishes to all.

Kisses
Egizia

VOCABOLARIO

Mia Cugina Elena Emigrazione ed Immigrazione

abituati: used to
aiuto (se puoi): help (if you can)
bestemmie: curse words
culla: cradle
descrivere: to describe
emigrazione: *dall'*Italia
esprimermi: express myself
immigrazione: *al* Canada
iniziato: began
l'unico giocattolo: only toy
perfezionamento: proficiency course
poiché: since or as
publicheranno: publish
sbarcato: disembark
pallida: pale
tramite: by means of
Trecase: a town

·» 18. IL LACCIO «·

PAPÀ ci raccontava molte storie di quando lui era **sotto le arme** nel **esercito** italiano. Lui fu in Abissinia, che è stato chiamata **Etiopia** nel 1940. Papà è stato anche in Eritrea dove hanno costruite case **tonde** con acqua e fango, ed anche con erba, o **bambù** o rami o pietre. In Abissinia parlavano arabo e nove altre lingue. Molti abitanti hanno

Giuseppe Santilli, padre di Egizia, a cavallo di un asino in Abissinia.
Giuseppe Santilli, Egizia's father, riding a mule in Abissinia.

imparato anche l'italiano. Gli abitanti vivevono in queste case che si chiamavano tukul. Il tetto era coperto di **paglia** o **frasche**. Papà ha costruito queste anche in Abissinia. Queste strutture erano **comune** a quelle parte perché era sempre più fresco dentro ed era anche la protezione contro serpenti, **igiene** e altri animali pericolosi. Questo *tukul* è sulla bandiera di Etiopia.

C'era la guerra e l'esercito è stato richiamato all'Italia. Mentre i soldati camminavano, Mario, che era davanti a Papà si fermò per legare **il laccio** della sua scarpa. Mario disse a Papà di continuare che lui seguirava subito. Arrivando al porto Papà imbarcò, il **cancello** si chiudò dietro di lui è nessun altro entrò. La nave parti per Bari. Papà non vide Mario per più di due anni finchè non si sono rincontrati a Pratola Peligna. Mario era stato preso prigioniere ed era addesso ammalato e molto magro. Mario morì nel 1940. Papà mi diceva se lui sarebbe stato preso prigioniero io non sarei mai nata. Io sono nata nel 1943 e sono molto contenta che lui non sia stato preso prigioniero. Papà sempre diceva che questo è stato il suo miracolo da Dio. Anch'io sempre ringrazio Dio per avere salvato il mio papà.

THE SHOELACE

PAPA would tell us many stories of when he was in the Italian army in Abyssinia, which was called Ethiopia in 1940. Papa was also in Eritrea where they built round houses using combinations of water, mud, grass, bamboo, branches, and rocks. The roof was covered with straw or branches. The inhabitants lived in these houses called *tukul*. These structures were common in those parts because it was always cooler inside. It was also protection from serpents, hyenas, and other dangerous animals. A *tukul* is on the Ethiopian flag. Papa also built these structures in Abyssinia where they spoke Arabic and nine other languages. Many natives learned the Italian language.

There was war; the army was recalled to Italy. While the soldiers were walking, Mario, who was in front of Papa, stopped to tie his shoelace. Mario told Papa to continue, and he would follow soon. Papa embarked; the gate closed behind him, and no one else came on. The ship left for Bari. Papa did not see Mario for two years until they met again in Pratola Peligna. Mario had been taken prisoner and was now sick and very thin. He died in 1940. Dad would say that if he had been taken prisoner, I would have never been born. I was born in 1943 and am very glad that he was not taken prisoner. Papa always said that this was God's miracle to him. I too always thank God for saving my father.

VOCABOLARIO
Il Laccio

Abissinia: former name of Ethiopia
bambù: bamboo
cancello: gate
comune: common
esercito: army
Etiopia: Ethiopia
fango: mud
frasche: branches/sticks
igiene: hyenas
laccio: shoelace
paglia: hay
sotto le arme: in the army
strutture: structures
tonde: round
tukul: *tukul* house

19. FESTA DELLA VENDEMMIA

La sorella di Zia Giuseppina, Zia Michelina, e suo marito, Romolo, abitavano a Piazza Garibaldi e avevano un negozio che si **affacciava** sulla piazza. Il suo negozio vendeva bibite, cartoline e francobolli così

Membri della nostra banda: Prima fila: Egizia, Nunziata, Felicia; Seconda fila: Eneo, Vittorio, Nunziatina. Members of our band: first row: Egizia, Nunziata, Felicia; second row: Eneo, Vittorio, Nunziatina.

era una bella **tabaccheria.** Io andavo sempre lì durante le feste perché avevo i miei cugini che giocavano con me. Noi avevamo una bella banda e facevamo molte pratiche per fare abbastanzo rumorosa armonia per andare con le sfilate. Eneo suonava il **tamburo**, Vittorio la **tromba**, Egizia e Nunziata i **cembali**, Nunziatina e Felicia i **fischietti.** Romolo, il padre, suonova la **fisarmonica**.

La festa della **vendemmia,** o la raccolta dell'uva, era la nostra festa favorita **accadeva** verso la metà d'ottobre. Sabato cominciavano le **esibizione.** La mattina presto c'erano gruppi di cantanti che cantavano canzone della vendemmia. La più bella era "**Pizzicare**." Davano un **grappolo d'uva** ad ogni persona e cantavano, "È la festa della vendemmia quanta gente sulla piazza. Pizzichiamo, pizzichiamo senza ubriacarci. Pizzica, pizzica, pizzica pure tu."

Quando finiva l'uva, noi prendevamo un altro grappolo dalle ceste vicino la fontana nel centro della piazza. Anche noi cantavamo "Pizzicare" e facevamo un giretto. Nel pomeriggio cominciavamo a fare il **mosto** nella fontana che era **priva** d'acqua. Le persone andavano con stivali o pure a piedi nudi. Questo continuava finchè finiva l'uva.

Verso le due del pomeriggio cominciavamo le **sfilate** degli artisti di mobilità. C'erano le bande suonando con ogni gruppo. A me mi piacevono le trombe. Si cominciava per prima con i **monocicli**, poi **bicicli**, biposti e **biciclette**, tutte bellissime **adornate**. Queste **parate** andavano fra le due piazze usando il corso. Quando venivano i **trampolieri**, gli spettatori facevano più rumore che la banda. Questi trampolieri erano veramente spettacolari. La nostra banda di sette persone andava su e giù tutto il tempo suonando anche noi. Quando eravamo stanchi, andavamo alla tabaccheria per uno spuntino.

Appena che finivano i trampolieri, i mangia fuochi cominciavano la sua parata. Questi piacevano a tutti e finivano troppo presto per **la folla**. La giornata finiva con alcuni trampolieri che camminavano dentro un'effigie ardente. Andavano verso la fontana dove c'era un mucchio da bruciare. Ad un certo punto alzavano la sua effigie che attualmente era una grande gabbia con pezzi di legno e la buttavano sulla cima del mucchio. Il mucchio cominciava ad infiammarsi. Era strano a vedere i corpi finti nel fuoco che si bruciavano. I trompolieri erano vivi. Avevano fatto un bel **trucco** finale.

Se i **comitati** avevano abbastanza soldi molte volte finivamo le feste con un favoloso **spettacolo pirotecnico**.

·» FESTA DELLA VENDEMMIA «·

ZIA Giuseppina's sister, Michelina, and her husband, Romolo, lived in Piazza Garibaldi and had a store that faced the piazza. The shop sold drinks, postcards, and stamps, so it was called a tobacco shop. I always went there during the celebrations because I had cousins who played with me. We had a good band and would practice a lot and made lots of noisy harmony to be able to go with the parades. Eneo played the drums; Vittorio the trumpet; Egizia and Nunziata the cymbals, Nunziatina and Felicia the whistles. Romolo, their father, played the accordion.

The celebration of the harvest was our favorite holiday. It happened around the middle of October. The exhibition began on Saturday. Early in the morning groups of singers would sing harvest songs. The best was "Pizzicare" or "Pinch" or "take a piece." They would give a bunch of grapes to each person and would sing, "It is the harvest feast and there are many people in the piazza. Let's take and eat a piece without getting drunk. Let's pinch, pinch, pinch, even you too."

When we finished one bunch of grapes, we would go get another from the baskets near the fountain in the center of the piazza. We would also sing "Pizzicare" and would sing as a group. In the afternoon the fountain in the piazza was emptied of the water and filled with grapes. People went with boots or bare feet to mash the grapes to make juice. This continued until the grapes were finished. Around 2:00 in the afternoon the parades began to move. There were bands playing with every group. I liked the trumpets. The first to begin were the unicycles. Next came the high wheelers, then the tandem bikes and regular bikes. The bikes were beautifully decorated. These parades went between the piazzas and used the avenue. When the stilt walkers arrived, the crowd made more noise than the band. The stilt walkers were truly marvelously dressed. Our band of seven people went up and down all of the time and we were also playing. When we got tired, we went to the tabaccheria for a snack.

As soon as the stilt walkers finished, the fire eaters began their parade. Everyone liked them, and they finished too soon for the crowd.

The day ended with some stilt walkers walking inside their burning effigy. They went toward the fountain where there was a pile to burn.

At a certain point, they lifted their effigy that was actually a big cage with wood pieces and threw it on top of the heap, which began to be on fire. It was strange to see the fake bodies burning up. The stilt walkers were alive. They had succeeded in rigging a great ending.

If the committee members had enough money, many times the celebration finished with a spectacular firework display.

VOCABOLARIO

Festa della Vendemmia

accadere: to happen
adornate: decorated
affacciava: looks into
ardenti: in flames
bicicli: bike with one big wheel and one little one
biciclette: bicycle
cembali: cymbals
comitati: committee
esibizioni: performance
fisarmonica: accordian
fischietti: whistles
folla: crowd
grappolo d'uva: bunch of grapes
mangia fuoco: fire eater
monocicli: unicycle
mosto: juice of pressed grapes
parata: parade
pizzicare: to pinch, pinch off, or a little
priva: without
sfilate: parades
spettacolo pirotecnico: fireworks
tabaccheria: tobacco shop
tamburo: drum
tromba: trumpet
trampolieri: stilt walkers
trucco: trick, make-up

20. LA FESTA DELLA MADONNA DELLA LIBERA

C'È poco o niente scritto nei libri di viaggi del mio paese nativo, Pratola Peligna. È un piccolo paese 60 kilometri dall'Aquila, che è la capitale d'Abruzzo ed anche il capoluogo della mia provincia d'Aquila. Pratola è 9.8 kilometri da Sulmona, la città la più vicino a Pratola.

La Processione della Madonna della Libera, la santa patrone di Pratola, si tiene ogni anno durante la prima settimana di maggio, inizia una settimana di feste. The Procession of the Madonna della Libera, Pratola's patron saint, is held annually during the first week of May and begins a weeklong celebration.

Sulmona è una delle più belle città in Abruzzo. Sulmona è nota per le fabbriche che fanno bouquet di confetti e molti altri composizione floreale. Fanno anche **bomboniere** per Matrimoni, Prima Comunione, **Cresima**, ed altre celebrazioni.

Pratola ha La S.S. (Santissima) Madonna della Libera. Il primo sabato e la prima domenica di Maggio sono i giorni che cominciano le feste per otto giorni. Il sabato comincia con la più grande processione che percorre dalla chiesa della Madonna per tutto il Centro di Pratola. La Madonna è messo in alto su una piattaforma e portata nella processione. Poi seguivano molte bande di **fiato** e di percussione con molti **tamburi**, **tamburini** e **batterie.** Questi suonavano la musica che tutti amavano. Tutti i pezzi grandi del paese erano nella **sfilata** ma stavano nelle **decappotabile**. Era la più grande **parada** del anno. C'erano anche tanti **carri** che erano stati decorati per un anno **intero** soltanto per questa festa. I migliori carri vincevano il Primo, Secondo o Terzo premio.

Per tutta la settimana si festeggiava con giochi, spettacoli e competizioni. C'era anche uno spettacolo che usava il formaggio tondo. Era chiamato **Cacio al Fuso**, un po' come il gioco di bocce.

Molti **forestieri** venivano a Pratola per vendere i suoi prodotti: agricolo, industriale e dell'immaginazione. C'erano anche molti **artigiani** bravi. Altri visitori venivono per La Festa della Madonna. Anche adesso i Pratolani o gente da Pratola all'estero ritornano e prenotano per otto giorni interi. Molti ritornano da paesi lontani come Canada, Stati Uniti America del Sud ed Australia. Se i genitori siano emigrati, i suoi figli ritornano con loro e **non vedono l'ora** di ritornare nel prossimo anno.[1]

Durante questa settimana di feste, tutti gli alberghi sono pieno **zeppi** di Pratolani dal Estero oppure visitori dagli altri paesi. Negli angoli delle strade e nelle piazze ci saranno gruppi di musicisti riuniti per suonare **improvvisazione** per le persone che passavano. I proprietari dei negozi erano contenti d'avere il gruppo suonare vicino al negozio perché i clienti venivano dentro e forse compravano qualcosa.

---

1. Oggi (2022), ci sono soltanto 13 alberghi in Pratola Peligna che costano da $79 a $90 per notte con **amenità**. Il miglior'albergo è Villa Giovina che ha una piscina ed altre **comodità** come WiFi e parcheggio.

La mia piccola banda suonava alla piazza e qualche volte avevamo Vittorio che suonava il **tamburino**. Lui insegnava agli **spettatori** tre cose di fare con il tamburino: sbattè nel mezzo, colpetto alla **montatura**, e girarlo per far tintinnare i dischi. Il tamburino doveva scontrare la mano, invece della mano sbattere sul tamburino.

Nessuno dei gruppi metteva un piatto per donazioni. Mi ricordo di un uomo che passò un cappello per donazioni in un gruppo. Aveva ricevuto soldi, ma quando glieli presentò, si arrabbiarono e partirono senza accettare la moneta. Questa era una settimana di musica **gratis**. Gli piaceva di suonare per la Madonna.

Ogni sera quando le gare e feste erano finite, c'erano fuochi d'artificio. Quando gli vedevo erano sempre più meglio della sera prima.

L'**Ottavo** era l'ultimo giorno di Feste. Le strade erano decorate con fili di luce da un lato all'altro. Pratola era bellissima di notte e di giorno. Le luce saranno smontate e messo a riposo per un altr'anno. Pratola Peligna ritornava a 7,000 persone invece di 10,000 persone durante la Festa Della Madonna.

Ero sempre triste vedere la **fine** ma c'erano sempre preparazioni per l'anno prossimo.

THE FEAST OF OUR LADY OF LIBERTY

THERE is either very little or nothing written in travel books about my hometown, Pratola Peligna. It is a small town 60 kilometers from Aquila, which is the capital of Abruzzi and the capital of my region, Abruzzi. Pratola Peligna is 9.8 kilometers from Sulmona, the closest city. Sulmona is one of the prettiest cities of Abruzzi. It is known for the many factories that make confetti. These almond confetti are made into bouquets. Many colored arrangements are made for favors for weddings, first Communions, Confirmations, and other celebrations.

Pratola is home to the Madonna of Liberty. The first Saturday and Sunday of May are the beginning of a week of festivities for the Madonna. On Saturday there is a huge procession that begins at the church of the Madonna and walks throughout Pratola. It is the biggest parade of the year. The Madonna is carried high up on a platform in the procession. Then follow many bands of wind instruments, brass instruments, and drums playing the music that everyone loves. All of the dignitaries of the town are in the parade, but they ride in convertibles. There are also many floats that took all year to prepare. The best floats will win first, second, or third prizes.

The whole week was spent in festivities of games, shows, and competitions. There was even a game of rolling the cheese, called Cacio al fuso, which is a little like bocce. Many out-of-towners came to Pratola to sell their products: agricultural, industrial, and imaginative items. There were also great craftsmen. Many visitors came for the festivities. Every year, Pratolani, people who had lived in Pratola, return from far-away places, such as Canada, the United States, South America, and Australia. If the parents emigrated, their children also return with them and look forward to the trip every year.[1]

During this festive week all of the hotels are chock full of Pratolani from afar and also curious visitors from many areas. On the street corners and throughout the piazzas there were groups of musicians playing or jamming for the passers-by. The store owners were glad to have the groups play near their stores because customers would come and perhaps shop inside.

The small band that I was in would play in the piazza. Sometimes we had Vittorio, a tambourine player. He would teach three things to do with the tambourine to the people watching. He showed them how to slap in the middle, tap the edge, and jingle the disks. The tambourine hits the hand, rather than the hand hitting the tambourine. None of the groups took donations. I can remember one man passed a hat around in a group. When he presented the money to the group, they became angry and left and did not accept the money. This was a week of free music. They performed because they liked to play for the Madonna.

Every night after all the competitions and festivities ended, there were fireworks. Each time that I saw them, the fireworks seemed better than the night before.

---

1. Today (2022), there are only 13 hotels in Pratola, ranging roughly from $79 to $90 per night. The best hotel is Villa Giovina. It has a swimming pool and other amenities, such as WiFi and parking.

The Ottavo, or eighth day, was the final day of the festivities. The streets had decorative lights that would cross from one side to the other. It was beautiful both day and night. The lights would be taken down and put away for another year. Pratolani would return to a town of 7,000 people instead of 10,000 people during the Festa della Madonna.

I was sad to see the end, but there were always preparations for the next year.

VOCABOLARIO

La Festa della Madonna della Libera

amenità o comodità: amenity
artigiani: craftsmen
batterie: big drums
bomboniera: wedding favor
cacio al fuso: cheese rolling game
carri: floats
composizione floreale: flower arrangement
Cresima: Confirmation
decappotabile: convertible
donazione: donation
fanfare: brass
fiato: breath, wind instrument
fine: end
forestieri: out of town people
galleggiante (i): floats
gratis: free
improvvisazione: jamming
intero: the whole, entire
montatura: mounting or setting
non vedo l'ora: I can't wait
nottata: night
ottavo: eighth
parada: parade
rappresentare: to depict
sfilata: parade
smontate: to take down
spettatori (m)/spettatrice (f): spectators
tamburi: drums
tamburino: tambourine
zeppo: jam packed

21. ROSARIA, LA VICINA DI CASA

LA nostra vicina di casa a Vico 1° Porta Nuova era Rosaria e il suo marito, Mastr'Antonio. Il loro cognome era Di Crescenti.

Mamma bussava dentro il muro del camino se voleva che Rosaria si affacerebbe alla porta per una parlata.

Rosaria con sua figlia ed i suoi nipoti. Rosaria with her daughter and grandsons.

Rosaria era la mia **bambinaia.** Se Mamma doveva andare fuori a fare le sue **faccende**, bussava al camino e parlava con lei alla porta. Rosaria mi faceva sempre una bella **accoglienza.**

Una volta Mamma mi disse di andare a casa di Rosaria perché voleva **in prestito** un "intratteno." Io non sapevo che era questo intratteno così Rosaria andò trovando questo nei **cassettoni** delle camere ed anche nelle **pentole** in cucina. Finalmente Rosaria mi disse di dire a Mamma che non abbiamo potuto trovare "l'intratteno." Forse si troverà un altro giorno.

Un altra volta non abbiamo trovato "l'intratteno" così Rosaria mi tagliò le **unghie** e mi disse di portarle a casa che mamma le poteve usare **invece** dell'intratteno. Dopo un po' mi sono **reso conto** che "l'intratteno" era un altro modo di dire, "**Intrattenermi** o pure fammi passare il tempo piacevolmente con te."

All'improvviso Rosaria mi portò un corpo di una bambola nuda. Lei faceva tanti corpi e li vendeva. Molte persone volevano aggiustare le bambole che compravano, in un modo speciale, con i loro **filati**, **fili** da ricamare, per fare le veste, gonne, **camicette**, la faccia ed i capelli. Altre persone compravano la bambola già fatto e ben colorata con capelli, vestiti e faccia fatto da Rosaria. Quando Rosaria mi fece vedere la bambola nuda, lei me la diede. Io ero contentissima a ricevere la bambola, e volevo cominciare ad abbellirla, ma dovevo ritornare a casa. Per molti giorni ho lavorato sulla bambola. Mi ho imparato molti modi di ricamare. La faccia, le sopracciglia, i capelli e gli occhi sono stati **ricamato a punto di satin.** I vestiti gli ho fatto a scuola con le suore. Loro avevano molti tessuti d'**avanzi** regalato a loro da persone di buon cuore.

Quando io fini, la bambola era ben vestita con scarpe, calzini, cappello, gonna, **blusa** e capelli rossi. Gli mancavano dei **gioielli.** Allora Rosaria mi insegnò di fare anelli, collane, orecchini e braccialetti con le cartine avvolto sulle caramelle.

Questo è stato un buon passatempo per molti giorni per me con Rosaria. Non me la dimenticherò mai! È stata sempre la mia favorita bambinaia.

ROSARIA, THE NEXT-DOOR NEIGHBOR

Our next-door neighbors at Vico 1° Porto Nuova in Pratola were the Di Crescentis, Rosaria and her husband, Mastr'Antonio.

Mama would knock on the back wall of the fireplace if she wanted Rosaria to come to the front door for a short talk.

Rosaria was my babysitter. If Mama needed to go out to do her errands, she would knock on the fireplace wall and speak to Rosaria at the door. Rosaria always welcomed me beautifully.

One time Mama told me to go borrow an "intratteno" from Rosaria. I did not know what this "intratteno" was, so Rosaria went looking in the drawers in the rooms and also in the pots and pans in the kitchen. Finally, Rosaria said to me to tell Mama that she could not find the "intratteno," but perhaps she'll find it another time.

On another occasion, we could not find the "intratteno," so Rosaria cut my nails and told me to take them home. Perhaps Mama could use them instead of the "intratteno." After a while I realized that "intratteno" was another way of saying, "Keep me busy, or let me pass some time in a pleasant way with you."

Unexpectedly, Rosaria brought me the nude body of a doll. She made many bodies and would sell them. Some people wanted to adjust the doll they bought in a special way with their own yarn and embroidery threads to make the face, dresses, skirts, blouses, and hair. Other people would buy the doll already well adorned with clothes, face, and hair done by Rosaria.

When Rosaria showed me the nude doll, she gave it to me. I was very happy to receive the doll and wanted to begin making her beautiful, but I had to return home. I worked on the doll many days. I learned many embroidery stitches to make the eyes, the face, the eyebrows, and hair. The eyes and eyebrows were done in a satin stitch. The dresses I made at the sisters' school. They had many cloth pieces that were left over and were given to them by people with good hearts.

When I finished, the doll was well dressed with shoes, socks, hat, a skirt and blouse, and red hair. But it was missing jewelry. Then Rosaria showed me how to make rings, bracelets, earrings, and necklaces from the wrappings of candies and chocolates. This was a good pastime for many days for me and Rosaria.

I will never forget her. She was always my favorite babysitter.

VOCABOLARIO

Rosaria la Vicina di Casa

accoglienza: welcome
all'improvviso: suddenly
avanzi: left over
bambinaia: babysitter
blusa: blouse
camicetta: blouse
cassettoni: drawers
faccende: business, errands
filati: yarn
fili: threads
gioielli: jewels
in prestito: borrowed
intrattenermi: keep me busy
invece: instead
pentole: pots
piacevolmente: happily, pleasantly
reso conto: realized
ricamare a punto satin: satin stitch
unghie: nails

·» 22. MASTR'ANTONIO «·

MASTR'ANTONIO era il marito di Rosaria. Abitavano proprio al nostro fianco e **condividevamo** un muro col **caminetto** a nostro lato ed un altro caminetto al lato di Antonio e Rosaria. Potevamo sentire le parole di Mastr'Antonio e Rosaria quando parlavano se non c'era fuoco sia nel nostro che nel loro **focolare. Bussavamo** nel

---

Rosaria e Mastr'Antonio davanti suo portone. Rosaria and Master Antonio in front of their entrance door.

muro del focolare se volevamo che Rosaria venisse fuori dalla porta per incontrarci e parlarci.

Mastr'Antonio era **esperto** nel fare il **ferraio**. Era un mastro ed anche maestro degli studenti che volevano imparare il suo **mestiere manuale**.

Mi ricordo che Mastr'Antonio ci riportava i nostri **recipienti** con olio e salsicce dentro che lui aveva **sigillato**. Questi ci duravano quasi tutto l'inverno dato che non avevamo frigorifero. Tutto quello che dovevo durare tutto l'inverno era messo in olio **oppure** nel sale come il prosciutto. **Commestibili** erano seccati sotto il sole come pomodori, frutta **affettata** e le bacche da tutte le piante commestiblile.

Mastr'Antonio era il nostro **maniscalco** per **ferrare il cavallo. Inoltre** riparava le ruote della **biga** e **carrello**. Lui faceva il **recinto** per i **balconi** e le **serrande** per i finestrini al pian terreno. I finestrini della nostra cantina avevano delle **sbarre** di ferro per **impedire l'ingresso** da qualcuno. L'intero sotto piano era la **cantina** che era pieno di barili e **tini** di vino ed il **torchio**.

Quando mia sorella ed io andavamo per una camminata **spesso** passeggiavamo davanti la bottega di Mastr'Antonio. Quest'era sulla strada principale. Le macchine potevano arrivare lì così i clienti potevano comprare e prendere i suoi attrezzi fatto da Mastr'Antonio. Noi ci fermavamo alle porte **spalancate**. Era pericoloso e caldissimo dentro. Comunque, lui aveva sempre ciondoli per noi. Lui faceva questi per il suo **passatempo**. Faceva grilli con le forchette e molti altri simboli contro il malocchio. Quando i **ciondoli** erano fatto d'oro dai **gioiellieri**, erano molto costosi, ma quando Mastr'Antonio li faceva, erano venduti a buon mercato ad altri, ma gratis per me e mia sorella. Mastr'Antonio faceva anche molti animali. Gli piaceva di fare coccinelle, e tre tipi di gufi: **gufo**, **barbagiani** e **civette**. In Abruzzo il gufo bianco era un simbolo di buona fortuna.

Mastr'Antonio metteva un occhio grande in tutte le sue fabbricazioni. Questo era contro il malocchio. Il malocchio poteva venire da uno che ti guardava con male intenzioni oppure aveva **invidio** di te. Quando non poteva mettere l'occhio, metteva l'**arcobaleno** per portare buona fortuna. A tutti piaceva il lavoro di Mastr'Antonio ed era sempre **indaffarato** con le sue **fabbricazioni**.

·» MASTR'ANTONIO «·

ANTONIO was Rosaria's husband. They lived right next door, and we shared the same wall. The wall in our fireplace adjoined their fireplace. We could hear them talking when there was no fire on either side. That is where we would knock if we wanted someone to come outside the door and meet us to talk.

Mastr'Antonio was a very experienced blacksmith. He was a master and a teacher to students that wanted to learn his trade. I remember Mastr'Antonio who brought back our tins of oil with sausage in them that he had sealed up. These lasted us almost all winter because we had no refrigeration. Everything that needed to last over the winter was either sealed in oil or put in salt, as the prosciutto was. Edibles, such as tomatoes, fruit slices, and berries of all plants were dried in the hot sun.

Mastr'Antonio would also shoe our horse and repair the wheels on the cart and two-wheeler. He made iron railings for the three sides of the balconies as well as iron bars for the windows on the first floor of the houses. Our windows on the cantina had iron bars to prevent anyone from entering. The cantina was full of barrels and vats of wine and the wine press.

When my sister and I went for a walk, we often went by Mastr'Antonio's shop. It was on the main street, and cars would drive there so the customers could pick up their tools or items made by Mastr'Antonio. We could only stand at the open door because it was dangerous and hot inside. He always had trinkets for us. He would make them in his spare time. He made crickets from forks and many other symbols against the evil eye. When the symbols were made from gold by jewelers, they were very expensive, but when Mastr'Antonio made them, he sold them to others for a good price but gave them to my sister and me for free. Mastr'Antonio also made many animals. He liked making ladybugs and three types of owls: barn owls, little owls, and regular owls. In Abruzzo the white owls were considered good luck omens.

Mastr'Antonio would put a big eye in all of his works to prevent the evil eye, which could come from one who looked at you with evil thoughts or envied you. When he couldn't include the eye, he added the rainbow to bring good luck.

Everyone liked the work of Mastr'Antonio, and he was always busy with his fabrications.

VOCABOLARIO

Mastr'Antonio

affettata: sliced
arcobaleno: rainbow
artigiano: craftsman
bacca: small, round fruit
bacche: small, round fruits
balconi: balconies
barbagiane: barn owl
biga: two-wheeled cart
bussare: to knock
caminetto: fireplace
cantino: wine cellar
carrello: cart
ciondoli: trinkets
civette: small owl
commestibili: edibles
condividere: to share
esperto: expert
fabbricazione: manufacture
ferraglia: scrap metal
ferraio: blacksmith
ferrare il cavallo: to shoe horses
focolare: fireplace, hearth
gioiellieri: jewelers
gufo: owl
impedire: to prevent
indaffarato: busy
ingresso: entrance
inoltre: also
invidio: envy
maniscalco: blacksmith
mestiere manuale: trade (vocation)
passatempo: recreation, hobby
recinto: fenced-in enclosure
ricipiente: container
sbarre di ferro: iron bars
serrande: closures, shutters
sigillare: to close tightly
spalancate: wide open
tino: vat for wine
torchio: wine press

23. GIOCHI DI PRATOLA I

QUANDO ero piccola giocavo con le mie amiche fuori. Ciascuno di noi aveva un sacchetto di bottoni. Giocavamo con questi per acquistare i bottoni delle altre. I ragazzi avevano le biglie in un sacchetto per giocare alle **biglie**.

Noi ragazze facevamo un circolette e mettevamo ognuno un bottone sul circolo di gioca. Per vedere chi cominciava se c'erano più di due persone facevamo un gioco d'**azzardo** con numeri. Se c'erano soltante due persone facevamo **teste o croce** con la moneta. Era sempre meglio ad essere la prima perché potevi scegliere il migliore bottone per acquistare. Per vincerlo una doveva girare il bottone con l'indice **leccato**. Se non si girava il turno, andava alla prossima persona. I più difficili a girare erano quelli che avevano il **gambo**. Anche oggi io non

---

La maggior parte delle bambole di Egizia sono state fatto a mano utilizzando rocchetti, legno, e perline, come queste due. Most of Egizia's dolls were handmade using spools, wood, and beads, like these two.

posso **buttare via** un bottone. Lo metto sempre nella mia collezione. È una collezione grande!

Un altro gioco che facevamo era con le mani **messo insieme** come pregando. Il capo metteva un bottone nelle mani di qualcuno. Si chiamava, "Chi ha il bottone?" In questo gioco il capo **fingeva** di mettere il bottone nelle mani insieme di ogni persona. Il vincitore prendeva il bottone e continuava col gioco.

Molte volte giocavamo a corda con una o due **corde**. Piaceva a tutte **saltare** con le due corde ma era più difficile. Quando ero sola, saltavo con una sola corda e facevo anche l'incrocino con le mani per **saltare**.

Se una aveva una **pupattola** in mano e andava fuori, tutte le altre andavano a prendere le loro bambole. Certe volte portavamo i **pupazzi** di stoffa o legno fatto come fantocci. Le bambole erano fatto con **rocchetti** e **perline** di legno infilati sullo **spago**. Passavamo molto tempo giocando insieme con le nostre bambole e pupazzi.

Altre volte giocavamo con **sassi lisci** e moneta. Tutti di noi avevamo un sacchettino con moneta **spicci** ed un bel sasso molto liscio. Ognuno giocava con il suo sasso. Mettevamo una moneta ciascuno sul **gradino** delle scale e col sasso provevamo di girare uno spiccio per acquistarlo. Se si girava era preso, se non si girava la prossima persona provava. Questo si giocava sui **gradini** delle scalinate che avevamo proprio fuori di casa.

Quando i ragazzi ci vedevono giocare a sassi anche loro volevono sempre entrare nel nostro gioco ma noi non li facevamo entrare. Tornavamo a casa se insistevono. Loro avevano più forza e sapevono girare la moneta meglio di noi. Se buttavamo il **sasso** proprio al bordo della moneta si girava. Se il sasso si buttava in mezzo della moneta non si girava **affatto**. Così era una buona prova di gettare il sasso bene, una bella cosa da praticare.

GAMES FROM PRATOLA I

When I was little, I used to play with my friends outside. Each of us had a little pouch with buttons. We played with these to acquire buttons from the others. The boys had marbles to play with.

We girls would make a little circle, and each would put a button in the playing circle. If there were more than two people, we had a game of chance with numbers to see who would begin. If there were only two people, we did heads or tails with a coin. It was always better to be the first because you could choose the best button to acquire. To obtain it, one would have to turn the button over by using the licked index finger. If it did not turn, then it went to the next person to try. The most difficult to turn were the ones with a shank. Even today I cannot throw away a button. I always put it in my collection. It is a big one!

Another game that we played was with hands together as if praying and a button in the hands of the leader. It was called "Who Has the Button?" In this game the leader pretends to put the button in each person's hands in the circle, but she only gives it to one person. Girls take turns guessing who has the button. The person who guesses correctly wins takes the button, and the game begins again.

Many times we played jump rope with one or two ropes. Everyone liked to jump with the two ropes, but it was more difficult. When I was alone, I would jump with one rope only, and I would also do the crossover jump.

If one had a doll in hand and went out with it, all the others would go and get their dolls. Sometimes a puppet of cloth or wood was brought out. The dolls were made of spools and wooden beads strung with twine. We spent a lot of time playing with our dolls and puppets.

Other times we played with smooth stones and coins. All of us had a little pouch with small change and a beautiful smooth rock. Each one played with her own rock. We would put a coin on the step of the stairway, and with the rock we would try to turn the money to be able to obtain it. If it turned, it was taken, but if it did not turn, the next person tried. This was played in the stairway steps that we had right outside our house.

When the boys saw us play "Stones," they always wanted to join our game, but we did not let them. We would go home if they insisted. They were stronger and knew how to turn the money better than we did. If we threw the rock right on the edge of the coin, it would turn. If it was thrown in the middle of the coin, it would not turn at all. Thus, it was a good skill to be able to throw the rock well, a good thing to practice.

VOCABOLARIO

Giochi di Pratola I

abilità: skill
affatto: not at all
azzardo: guessing
bambole: dolls (pretty)
biglie: marbles
buttare via: to throw away
corda (giocare a corda): rope (jumprope)
fingere: to pretend
gambo: shank of a button
gradino: step
leccare: to lick
liscio: smooth
messo insieme: put together
passatempo: pastime, hobby
perline: beads
pupattola: doll (pretty)
pupazzo: puppet made of cloth (fantoccio di stoffa)
pupazzo di neve: snowman
rocchetti: spools
saltare, saltando: to jump, jumping
sasso: small rock
spago: twine
spicci: small change
teste o croce: heads or tails

24. I GIOCHI DA PRATOLA PELIGNA II

NEI miei giorni a Pratola Peligna avevo due frutte preferito, i **ca**
ed i fichi. I cachi più maturi erano i più buoni ed erano **r**
bidi e quasi **traslucidi**. I cachi non si mangiavano duri ma si fac
maturare nel **davanzale** della finestra. I **fichi** hanno due rac
prima in giugno e l'altra in settembre. I fichi dell'Umbria er
e quelli più giù fino alla Sicilia erano un **violetto scuro**. M
tutt'è due.

Nel gioco, Mosca Chieca, il giocatore bendato cerca di acchi
cun'altro. Egizia ha disegnato questa immagine. In the gar
blindfolded player tries to tag one of the others. Egizia dre

Quando andavo fuori con questi **frutti** in mano le sempre **condividevo** con le mie amiche. La **frutta** era sempre più buona quando era condivisa. Dopo di questa piccola **merenda**, giocavamo a **campana**. Disegnavamo la campana col gesso bianco mettevamo per prima due rettangoli adiacenti, dopo due singoli ma uno sopra l'altro ed in fina due altri rettangoli adiacenti. Usando il gesso scrivevamo numero uno fino a sei nei rettangoli. Si giocava con un sasso, lanciato ad un rettangolo della campana. La giocatrice **saltellava** sui rettangoli adiacenti con due piedi, e con un piede sui rettangoli singoli per prendere il sasso. Poi si girava e saltellava fino all'inizio. Così poteva aggiungere il numero del rettangolo alla sua **somma**. La più alta somma vinceva.

Se si stancavamo con un gioco sceglievamo un altro, come "Uno, Due, Tre, Stelle." In questo gioco si deve toccare il capo che si metteva con la testa e la faccia **appoggiata** al muro per non vedere. Gli altri giocatori si mettevono in una fila lontano dal capo. Il capo gridava, "Uno, due, tre, stelle," e si girava mentre tutti rimanevano immobili. Se non si fermavano ed il capo gli vedeva muovere, li mandava in dietro dove cominciava la fila. Se nessuno arrivava a toccare il capo, allora si riggirava e continuava il gioco. Se uno riusciva a toccarlo, diventava capo, ed il gioco continuava.

Questi altri giochi si fanno in tutto il mondo intero. Un altro è acchiapparella. Un bambino insegue per acchiappare qualcuno, gli altri scappano. Chi è acchiappato diventa capo. Tocca a lui ad acchiappare altri. Un altro gioco è Mosca Cieca. Un bambino con occhi coperti da una benda e tutti gli altri gli correvano intorno cercando di non farsi toccare. Chi era toccato diventava la "mosca cieca."

In un altro gioco si usa una **fune**. Bisogna dividersi in due squadre. Ogni squadra diventa come un solo uomo a tirare la fune. Tutti tirano per la vittoria. La squadra che tira l'altra sopra un segno designato vince.

C'è anche Rubabandiera che usa due squadre di almeno cinque giocatori. Ognuno della squadra ha un numero, 1, 2, 3, ecc. Poi l'altra squadra ha anche i stessi numeri. Così ogni squadra ha un avversario identificato dallo stesso numero. Quando il capogiocatore chiama il numero, i due ragazzi corrispondenti devono scappare a prendere la bandiera. **Occhio**! Se anche prendi la bandiera ma il tuo avversario ti tocca, hai perso.

Nel gioco Palla Prigioniera, bisogno dividersi in due squadre che dovranno occupare ognuno la propria metà campo. Poi a turno si deve cercare di colpire con la palla un giocatore avversario, senza che la palla tocca terra. Se uno è toccato, allora diventa prigioniero. Se un compagno **intercetta** e blocca la palla, il prigioniero è liberato. Uno dei giochi all'aperto per bambini più divertendo e diffuso ne esistono molte varianti fra cui è quello della palla **avvelenata**. Negli Stati Uniti ne esiste **addirittura** una variante che si chiama *dodgeball.*

GAMES FROM PRATOLA PELIGNA II

DURING my days in Pratola Peligna I had two favorite fruits, persimmons and figs. The riper persimmons were the best and were soft and almost translucent. The persimmons were not eaten when hard but were put on the windowsill to ripen. The figs have two harvests, the first in June and the other in September. The figs from Umbria were green, and those further south from Sicily were a dark violet. I liked both of them. When I went out with these fruits in my hand, I always shared them with my friends. The fruit was always tastier when it was shared.

After this afternoon snack, we played hopscotch. We would draw the hopscotch with white chalk: first two adjacent rectangles, then two single rectangles, one above the other, and finally two other adjacent rectangles. Using the chalk, we would write numbers 1 to 6 in the rectangles. We played with a stone thrown to one of the numbers. The player would hop onto the rectangles to get the stone and add the number of the rectangle to her sum. The highest sum always won.

If we got tired with one game, we chose another, like One, Two, Three, Star. In this game the head person would face the wall and lean on it so as not to see. The others would form a line at a distance. The leader would yell, "One, two, three, star," and would turn quickly. The others would stop running and freeze when the leader turned. If the players did not stop, then the leader would see them and send them back to the start. If no one was able to touch him, then the leader would continue. The player who finally touched him became the new leader.

These other games are played throughout the whole world. One is tag. One child runs after the others trying to tag one. Whoever is tagged becomes IT, and he must try to tag others.

Another game is Blind Fly. One child has his eyes covered with a bandana. All the other children run around him trying not to be tagged. Whoever is tagged becomes the Blind Fly. In another game, a rope is used. Two teams are established. Each team becomes like one man pulling on the rope. Everyone pulls to win. The team that pulls the other one over a designated marker wins.

There is also Steal the Flag with two teams of at least five players. Members of one team have a number, 1, 2, 3, etc. The other team members have the same numbers. When the leader calls a number, those two players run to grab the flag. Be careful if you take the flag. If your opponent touches you, you lose.

In the game Imprisoned Ball two teams each occupy one half of the field. Then taking turns they try to hit opposing team members with the ball without it touching the ground. If hit, you become a prisoner. If a team member blocks and intercepts the ball, you are freed. This is one of the more enjoyable and widespread outdoor games. There are many variations, among which is the Poisoned Ball. In the United States there is a version called dodgeball.

VOCABOLARIO

I Giochi di Pratola II

addirittura: even
appoggiata: resting or leaning
avvelenata: poisoned
cachi: persimmons
campana: game; hopscotch
condividere: to share
davanzale: windowsill
fico, fichi: fig, figs
frutto: fruit
frutta: fruit (collectively)
fune: rope
intercette: intercept
merenda: afternoon snack
morbido: soft
occhio: watch out
saltellava: hopped
scuro: dark
somma: sum
traslucido: translucent
violetto/ a: purple

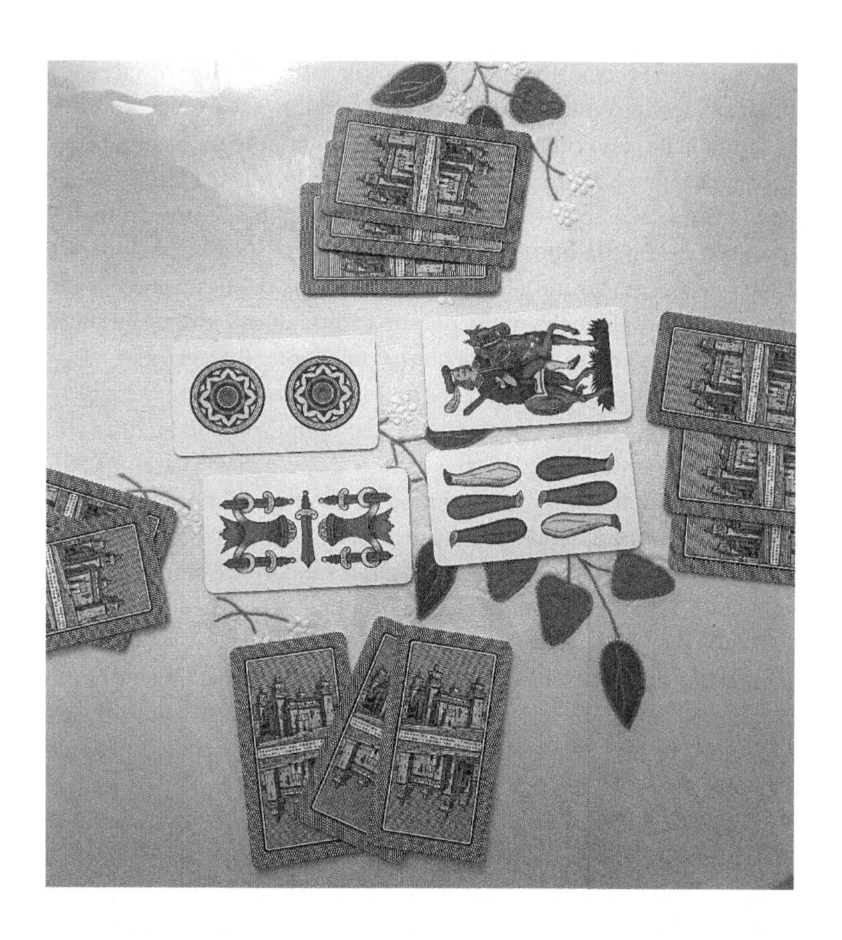

25. GIOCHI DI PRATOLA PELIGNA III

QUANDO faceva bel tempo tutti i ragazzi di Pratola Peligna practicavano i suoi talenti di calcio. I ragazzi usavano soltanto la testa, i piedi, il pallone ed il muro, senza usando le mani. Il pallone batteva al muro da un colpo della testa. Molte volte ritornava basso e usavano i piedi per **rimbalzare** il pallone. Quando io uscivo da casa e portavo il pallone, passavo molto tempo a fare rimbalzare il pallone con la testa

---

Siamo pronto per Scopa. We are ready for Scopa.

ed anche con i piedi. Non era facile. Io volevo fare quello che facevano i ragazzi. Io ero molto **invidiosa** di questa abilità che loro avevano.

In Italia il calcio è il più popolare ed il più famoso gioco di tutto gli sport. Uno nasce in una famiglia ed è molto fedele alla famiglia ed è anche **tifoso** alla **squadra** di calcio della famiglia. È come un matrimonio fedele **nella buona e nella cattiva sorte**. In **Grecia Antica** e Roma Antica giocavano a Harpostum. Lo **scopo** di questo gioco era di mantenere la palla nella mettà del suo campo di squadra e fare punti contro l'**avversario**. Questo era quasi come football americano.

Due passi dalla mia casa c'era un viale senza **asfalto**. Qui giocavamo a bocce. Questo è stato giocato dai tempi romani. Si gioca con otto palline tonde e con due squadre. Lo **scopo** è di **rotolare** una pallina al **martinetto** in centro il più vicino che è possibile. Se la pallina di Squadra 1 **impedisce** la pallina di Squadra 2, allora è colpita o **bocciata**. Le palline se ne vanno dove vogliono andare. Le regole di bocce non hanno cambiato molto dai tempi romani.

Scopa era il mio gioco favorito di fare con nonno. Le carte italiane hanno quattro completi con dieci carte in ogni completo. Questi sono Denaro, Bastone, Spade e Coppa. L'**obiettivo** di Scopa è di accumulare più punti che l'avversario. Il primo ad arrivare a 11 punti vince, oppure 21 se il gioco si allunga.

Scopa si comincia con il capo che dà quattro carte a faccia giù ai giocatori. Altre quattro carte faccia su si mettono sul tavolo. Il **mazzo** di carte si mette faccia giù sul tavolo. Quello chi è alla destra del capo comincia il gioco. Se lui trova una carta uguale del numero della sua, allora se la prende. Se per caso trova due carte sul tavolo che fanno il suo numero, se le prende anche. Se non può trovare la somma giusta nelle carte sul tavolo, deve mettere una delle sue carte sul tavolo. **Però** se uno ha una carta che potrebbe prendere tutte le carte sul tavolo, allora grida, "Scopa," e fa **piazza pulita**. Molte volte Scopa si fa facilmente anche con due giocatori.

Il gioco continua finchè non ci sono più carte. Allora è ora di contare I punti per vedere chi è il vincitore.

Il fante conta per otto. Il cavallo conta per nove ed il re conta per dieci.

Chi ha più carte prende un punto.

Ogni Scopa conta un punto.

Il Sette Bello (Denaro) vince un punto.

Chi ha più carte di Denaro vince un punto. Certe volte giocavamo a Scopa di Assi. Si usano le stesse regole ma se uno ha un asso in mano e vede un asso sul tavolo, uno può prendere tutte le carte e farà piazza pulita.

Il tempo scappava quando giacavamo a Scopa.

GAMES FROM PRATOLA III

WHEN it was good weather, the boys of Pratola Peligna would practice their soccer skills. They used their heads, feet, ball, and wall, without using their hands. The players would bounce the ball to the wall with their heads. If it came back low, they would use their feet to rebounce the ball. When I went out of the house with a ball, I would spend a lot of time bouncing it against the wall, and I even used my head and feet. It was not easy. I wanted to do what the boys did. I was very envious of this ability they had.

In Italy soccer is the most popular and most famous of all the sports. One is born into a family and is very faithful to his family and is a great fan of its soccer team. It is like a marriage, faithful in good and bad times. In ancient Greece and ancient Rome they played Harpostum. The aim of this game was to keep the ball in the field and score points against the other team. This was almost like American football.

A few steps away from my house there was an avenue that was unpaved. Here we played the ancient Roman game of bocce. It is played by two teams with eight round balls and a stake. The aim is to roll a ball as close to the stake as possible. If the ball of Team 1 obstructs the ball of Team 2, then both balls roll along. The rules have not changed much since Roman times.

On rainy days I played cards with my grandfather who lived on the ground floor of my house. Scopa was my favorite game to play with him. The Italian cards have four suits with ten cards in each suit. The suits are Denaro (money), Bastoni (clubs), Spade (spades), and Coppa (cups). The aim of Scopa is to obtain more points than your opponent. The first to arrive at 11 points wins, or 21 points if the game goes longer.

Scopa begins with the dealer giving four cards face down to each player and another four cards face up on the table. The deck is placed face down on the table. The one to the right of the dealer begins the game. If he finds a card on the table with the same number as his, he takes it. If by chance he finds two cards on the table that make the same amount on his card, then he takes them both and puts them in his stack on the table. If he cannot find a card with amounts equal to his, he then puts a card down face up. However, if a player has a card that equals all the cards on the table, then he yells, "Scopa," and cleans house. Many times Scopa is done easily even with two players. The game continues until there are no more cards.

Fante, the equivalent of the Jack, counts for eight points. The Knight (cavallo) counts for nine points. The King (re) counts for ten points.

Then it is time to count points to see who the winner is.

Whoever has the most cards gets one point.

Every Scopa gets one point.

The seven of Denaro (Money) gets a point.

Whoever has more Denari (Money) cards gets a point.

Sometimes we played Scopa with Aces. The same rules are used as with Scopa, but if one player has an ace in hand and sees an ace on the table, then he can take all the cards in play and make a clean sweep.

The time flew when we played Scopa.

VOCABOLARIO

Giochi di Pratola Peligna III

asfalto: asphalt
avversario: adversary
bocciare: to hit, to fail (as an exam), to reject
due passi: few steps
fare rimbalzare: to bounce
giocare: to play (new way)
Grecia antica: ancient Greece
impedire: to obstruct
invidiosa: envious
martinetto: jack
mazzo: stack, pile
nella buona e nella cattiva sorte: for better or for worse
obiettivo: object
però: however
piazza pulita: clean sweep
rotolare: to roll
lo scopo: the aim
tifoso: fan
scopa: sweep
squadra: team

·» 26. GIOCHI IV: GIORNI INTORNO A NATALE E CAPO D'ANNO «·

I GIORNI dal **Avvento** e l'**Epifania** erano giorni di preparazione e di festeggiamento.

Dato che la campagna stava a riposo gli uomini andavano alla **taverna** per giocare a carte ed intratenersi con gli amici.

La vicina di casa di Egizia, Antonella, e la sua bimba, Nella, facevano parte del gruppo riunito per preparare i dolci per Natale e Capodanno. Egizia's neighbor, Antonella, and her daughter, Nella, were part of the group gathered to prepare sweets for Christmas and the New Year.

Le donne cucinavano preparando per le feste. Ogni giorno facevono molti dolci oppure biscotti o caramelle.

Antonella, la vicina di casa in dietro di noi, veniva per imparare a fare i dolci. Portava la sua piccola figlia per giocare con mia sorella e me. La prima cosa che cucinavano era il **croccante**. Questo è fatto con semi piccoli come semi di **pinoli**, di **sedano**, di **papaveri**, di **rapa**, di **zafferano** e di **girasole**. Ci mettevano anche semi grandi come quelli della zucca, mandorle, **noce**, **nocciola** e **nocelline americane**. Questi semi più grande erano **tritate oppure** tagliati in pezzi piccoli. Per farlo più buono e meglio ci mettevano anche **uvetta** e miele. Questo si doveva fare bollire e dopo si dovevo fare **indurire**. Allora a questo punto le mamme venivono a giocare con noi ragazzine. Con cinque persone potevamo giocare, indovina chi è? Questo è un gioco quieto e non **violento**. Si gioca mettendo una persona al muro con la testa appoggiata al muro per non vedere intorno, metteva anche il braccio sopra gli occhi ed una mano **spalancata** sotto il braccio così il gruppo dietro poteva vedere la mano. Una delle giocatrice scelta dal gruppo camminava in **punta dei piedi** ed andava a toccare la mano gentilmente di quella al muro. Quando ritornava al gruppo, tutti gridavano, "Indovina chi è?"

La persona al muro si girava ed aveva tre scelte per indovinare chi era venuto a toccarla. Se non indovinava rimaneva al muro. Se indovinava, la persona veniva e prendeva il posto al muro. Il gioco poteva continuare per molto tempo.

Altri dolci che si facevano per natale nel mio paese erano Torrone, è stato iniziato a Cremona nella Lombardia in 1441 per un matrimonio. È diventato un dolce natalizio. La base è di zucchero, miele, mandorle, nocciole e pistacchi, tostati è **confezionato** a stecche. E non possiamo dimenticare il **Panettone**. Questo è fatto in forma di una cupola. È fatto di uova, zucchero, farina, lievito, burro e **conditi**, oppure cioccolata a pezzi. Questa cupola è stata originata a Milano, la capitale di Lombardia. Ogni paese aveva i suoi dolci proprio per natale. I nostri di Pratola Peligna erano le scarpette ripiene e le pesche.

Le scarpette erano ripiene con cioccolata **sciolta**, ceci, limone e miele. Fatto informa di mezzaluna. Le pesche erano fatto con due biscotti tondi ripieni e messo insieme con Campari liquore spruzzato sopra e poi zucchero messo soprattutto.

Questi dolci si facevano lentamente e con amici durante i giorni Natalizio. Dopo si condividevano e si scambiavano con dolci fatto dalle altre famiglie vicino.

GAMES IV: GAMES AND GOODIES AROUND CHRISTMASTIME AND NEW YEAR

THE days of Advent and Epiphany were days of preparations and enjoyment. Since the fields were resting, the men would go to the tavern to play cards and pass time with their friends. The women would cook and prepare for the festivities. Every day they would make many sweets, biscotti or candies. Antonella, the neighbor in the house behind ours, would come to learn how to make these sweets. She would bring her little girl to play with my sister and me. The first thing that they made was the brittle. This is done with small seeds, such as pine, celery, poppy, turnip, saffron and sunflower. They would also put big seeds such as pumpkin, almonds, walnuts, hazelnuts and peanuts. These bigger seeds were minced or cut in small pieces. To make it better they would also put in raisins and honey. It had to be boiled and then had to harden. Then the mothers would come to play with us girls. With five people we could play "Guess Who." This is a quiet and nonviolent game. It is played with one person at the wall with her head on her arm so as not to see around her. She would put her one arm over her eyes and put the other under that arm with her hand wide opened so that the others behind her could see it. The group behind would choose a person to walk on tiptoes to the wall and gently touch the hand of the one on the wall. When the person returned to the group, everyone would yell, "Guess who?"

The person at the wall would turn and had three guesses to find out who touched her. If she did not guess, she would stay at the wall. If she guessed, then the person would come to take her place. The game could go on for a long time.

Other sweets that we made at Christmas time in my town were Torrone, which originated in 1441 for a wedding in Cremona in Lombardy. It has become a Christmas treat. This has sugar, honey, almonds, hazelnuts and pistachios toasted and wrapped in strips. We cannot forget the Panettone. This is created in the shape of a cupola. It is made with eggs, sugar, flour, yeast, butter, candied fruit or chocolate bits. This cupola originated in Milan, the capital of Lombardy. Each town had its very own sweets just for Christmas. Ours from Pratola are scarpette and peaches.

The scarpette were little sweets filled with melted chocolate, chick-peas, lemon and honey. They were shaped like half moons.

The peaches were made with two round cookies put together and sprinkled with Campari liquor and then with granulated sugar.

These sweets were made slowly and with friends. Then they would be divided and shared or exchanged with those of other nearby families.

VOCABOLARIO

Giorni intorno a Natale e Capo D'anno

arachide: peanuts
Avvento: Advent
condito: candied
confizionato: wrapped
croccante: crisp, brittle
Epifania: Epiphany
girasole: sunflowers
indurirsi: harden
miele: honey
nocciola: hazelnut
noce: walnut
nocceline americane: peanuts
oppure: otherwise
Panettone: big bread
papaveri: poppies
pinoli: pine seeds
punta dei piedi: tiptoe
rapa: turnip
scarpette: cookies shaped like shoes
sciolta: melted
sedano: celery
taverna: tavern
tritate: minced
uvetta: raisins
violento: violent
zafferano: saffron

27. GIOCHI DI PRATOLA V: IL PADRE GUERRINO

Il vescovo di Sulmona conferò a Guerrino Pizzoferrato gli ordini sacri. La sua prima messa è stata il 27 luglio 1952 a Pratola. Tutti i suoi parenti erano alla sua **Prima Messa**. C'è una bella foto di tutti:

Top photo: Padre Guerrino a bordo della nave che partirà per Oceana. Father Guerrino aboard the ship that will sail for Oceana. Bottom photo: Parenti alla Prima Messa di Padre Guerrino. Relatives at Father Guerrino's First Mass.

Io ero l'unica che avevo indossato la mia vesta di **Prima Comunione** appena fatto in maggio. Ho conservato questo ricordino della messa con la foto di Padre Guerrino. Lui partì per Oceana per fare il missionario lì. Era un prete marista. Dopo della messa siamo andati a **festeggiare** questa bella **occasione** in Piazza della Madonna. C'era molto cibo, specialmente la **porchetta**. Questo è un maiale **svuotato** delle interiore, **riempito** di sale, pepe, lardo, aglio, rosmarino e cotto intero **allo spiedo**. È la nostra specialità della cucina Pratolana.

C'erano tanti tavolini intorno alla piazza. Siamo andati lì per giocare e per mangiare quand'era pronto. Io mi sono imparata di giocare a Briscola con tre amici. Abbiamo usato tutte le carte: Coppa, Dinaro, Spada e Bastone. Dopo di una bella **miscolata**, tre carte si danno ai giocatori a faccia in giù. **Chi dà le carte** prende la prima carta sopra il mazzo e la mette a faccia su nel centro del tavolo per indicare quale è la Briscola per quel gioco. Il **mazzo** di carte è messo faccia giù vicino alla carta che è la Briscola. Il giocatore alla destra di chi dà le carte comincia e mette una delle sue carte sul tavolo. Gli altri devono continuare con lo **stesso colore**. Se non ce l'hanno, possono mettere un altra carta oppure se hanno la carta che è Briscola, possono prendere la presa con Briscola. Se tutti hanno lo stesso colore, la carta più alta prende la **presa**. I valori delle carte sono asso – 11 punti; il tre – 10 punti; il dieci – 4 punti; il nove – 3 punti; l'otto – 2 punti. Le altre carte non hanno nessun valore.

Dopo che tutte le carte del **mazzo** sono finite, si continua a giocare finchè le carte in mano finiscono.

Quando tutte le carte sono finite, si contano i valori delle carte ed il primo ad arrivare a 121 punti vince. Molte volte si fanno due o tre partite per arrivare a 121. Dopo della partita di carte ci sono stati molti cibi da mangiare con la porchetta e molti **ortaggi**. Tutto era buonissimo.

Il **parroco** venne ad invitarci dentro la sua casa per avere un dolce con gelato. Siamo andati al bel portone dove abitava il parroco. Sul **portone** c'erano due belli **battenti di porta**. Erano fatto come facia di un leone. Quando siamo entrati tutti di noi bambini toccavamo i leoni che **lucidavano** nel sole.

Dopo di questo grande **rinfresco**, Padre Guerrino ci ha ringraziato e ci diede il suo ricordino della sua Prima Messa. Vicino di lui c'era un **cartelone** con queste frase scritte:

Momenti contenti—laudate Dio
Momenti difficili—cercate Dio
Momenti quieti—adorate Dio
Momenti di dolori—abbiate fiduce di Dio
Ogni momento—ringraziate Dio

Belle parole da Padre Guerrino. Per cinque anni abbiamo sentito dai i suoi genitori che lui stava bene. Dopo di quello i suoi genitori non hanno ricevuto niente altre notizie da lui. Così forse è stato **martito** in Oceana oppure è sparito per qualche malattia o altri motivi. Spero di rivederlo in Paradiso per sapere che cosa gli è successo.

GAMES OF PRATOLA 5: PADRE GUERRINO

THE bishop of Sulmona officiated at the ordination of Guerrino Pizzoferrato. Father Guerrino's first Mass was July 27, 1952, in Pratola. All of his relatives were at his first Mass. There is a beautiful photo of everyone. I was the only one wearing the dress from my First Communion, which I had received in May. I saved this remembrance of his first Mass along with Padre Guerrino's holy card. He left for Oceana to be a missionary there. He was a Marist priest. After the Mass we went to celebrate this beautiful occasion in the Piazza della Madonna. There was a lot of food, especially the pork roast. This is a pig that is cleaned out and filled with salt, pepper, lard, garlic, rosemary, and cooked whole on a spit. It is our Pratolana specialty.

There were a lot of tables around the piazza. We went there to play and eat when it was ready. I learned how to play Trump with three friends. We used all of the suits: Cups, Money, Swords, and Clubs. After a good shuffling, the dealer gives three cards to the players, face down. The dealer then takes the top card from the pile and turns it face up in the middle of the table to indicate which suit is trump for that game. The deck of cards is placed face down near the trump card. The player to the right of the dealer begins by placing one of his cards on the table. The others have to follow suit. If they do not have the same suit, they may put another card or if they have a trump card, they will take the trick. If the cards are of the same suit, the highest card takes the trick. Here are the points: ace = 11; three = 10; ten = 4; nine = 3; eight = 2. The other cards have no value. After all of the deck cards are finished, one continues to play until the cards in hand are played. When all the cards are done and counted, the first to arrive at 121 points wins. Many times two or three games are played to arrive at 121.

After the card game there was a lot of food to eat. With the pork roast there were a lot of vegetables. Everything was very tasty.

The pastor invited us to his rectory for dessert and ice cream. We went to the beautiful big entrance. On this door there were two knockers with lion faces. When we went in, all of us children would touch the lions that shone in the sun.

After this big reception, Father Guerrino thanked us all and gave us his Mass card remembrance. Near him there was a big poster with these words:

Happy moments—Praise God
Difficult moments—Seek God
Quiet moments—Worship God
Painful moments— Trust God
Every moment—Thank God

Beautiful words from Father Guerrino.

For five years we heard from his parents that he was doing well. After that, his parents heard nothing more from him. Perhaps he was martyred in Oceana or else he died of illness or other causes. I hope to see him in Heaven to find out what happened to him.

VOCABOLARIO

Giochi di Pratola VI: Il Padre Guerrino

battenti di porta: door knocker
Briscola: Trump, a card game
cartellone: poster
chi da le carte: dealer of cards
colore: suit (stesso colore: same suit)
festeggiare: to celebrate
lucidare: to shine
martito: martyred
mazzo: pack of cards
mescolare: to shuffle
occasione: occasion
ortaggi: vegetables
parroco: pastor, parish priest
partita di carte: card game
porchetta: roast pig
portone: main entrance
presa: taking the card trick
Prima Comunione: First Communion
Prima Messa: First Mass
riempito: filled with
rinfresco: reception
spiedo: spit (allo spiedo: on a spit)
svuoto: emptied, cleaned out
vescovo: bishop

28. L'EREMITA ALFONSO

Mi ricordo di quando Nonno Giovanni mi faceva volare come un aeroplano. Nonno mi prendeva per le mani ed io mettevo le braccia **stese**. Quando si girava intorno, io mi giravo in alto con lui come un aeroplano. Mi piaceve di fare questo ma dopo poche volte mi sono **spostata** la spalla. Allora siamo andati col **carro** che era **trainato** dal cavallo, Stella, a fare visita all'**eremita** Alfonso. Abbiamo portati con noi due galline per pagamento. La strada non era lunga ma io avevo dolori sulla spalla. Quando siamo arrivati, Alfonso era nel suo orto e venne a vederci. Lui viveva solo in questo luogo.

Dope che vide la mia spalla, mi domandò com'era successo. Mentre io stavo parlando con lui, mi aggiustò la spalla. Era come un miracolo

---

L'Ermita Alfonso aveva una statua di Sant'Antonio in uno dei suoi giardini.
Alfonso, the hermit, had a statue of St. Anthony in one of his gardens.

avere una spalla senza dolori. Dato che eravamo lì, Alfonso ci fece vedere il suo luogo.

Alfonso faceva tutte le cose per se stesso senza che nessuno l'aiutasse. La sua casa era soltanto per dormire e per ripararsi dalle tempeste. Lui era sempre fuori a lavorare, giocare a palla e pregare vicino alla statua di Sant'Antonio. Lui viveva vicino ad un **ruscello** ed aveva sempre acqua per **innaffiare** le sue piante.

Gli piacevano molto le sue piante nella **serra** che era costruita con pareti e soffito di materiale trasparente. Dentro c'erano tante **erbe medicinali** e **aromatiche** e vari fiori colorati che io non avevo mai visto. Alfonso era molto contento di farci vedere la sua **abitazione**. Il suo orto fuori era grandissimo. Fu una grande sorpresa per me a vedere tante **lappe** con tanti fiori violi e futuri **attaccabottoni.** Alfonso disse che erano molto medicinale e mi fece vedere anche la **camomilla**, il **rosmarino**, i **denti di leoni**, ed anche l'**anice**. Queste erano **erbaccie** per me, ma lui le usava per le cure ed i **rimedi** per le **malattie** e **terapie.** Molte persone venivano a vederlo per ricevere cure. Alfonso aveva sempre un **miscuglio** di olio ed **alloro**, che era un buon **ungento** naturale per uso fuori il corpo ed anche dentro quando era usato come condimento. Quando qualcuno aveva dolori che non poteva curare, allora ci metteva una pomata e gliene dava alcune per usare a casa. Con tante cose da vedere abbiamo **trascorso** molto tempo con Alfonso. Lui è stato molto gentile con noi. Io non volevo andarmene, ma Nonno mi disse di **salutarlo.** Con lacrime nei miei occhi abbiamo salutato Alfonso. Lui mi disse che potevo ritornare senza spostarmi qualcosa. Sono stata sempre contenta di parlare del Eremito Alfonso. Lui era il nostro medico perché Pratola non aveva un **ospedale**. Andavamo sempre ad Alfonso per cure di dentro e fuori il corpo. Per me non ho mai più giocato ad aeroplano con nessuno.

Questo cartellone era nell'orto dell'Eremito Alfonso:

Non cancellare nessun
giorno della vita. I
giorni belli ti hanno
regalato la felicità, quelli
brutti ti hanno dato
l'esperienza, e i peggiori ti
hanno insegnato a vivere.

ALFONSO THE HERMIT

I REMEMBER when Nonno Giovanni made me fly like an airplane. Nonno would take me by the hands and I would extend my arms. He would turn around, and I would turn with him like a flying airplane. I liked to do this, but after a few times I pulled my shoulder. Then we went in the cart that was pulled by Stella, our horse, to visit the hermit, Alfonso. We brought with us two live chickens for payment. The way was not long, but I had a lot of shoulder pain. When we arrived, Alfonso was in his garden and came to see us. He lived alone in this place.

After he saw my shoulder, he asked me how it happened. While I spoke with him, he fixed my shoulder. It was like a miracle. I had a shoulder without pain now. Since we were there, Alfonso showed us his place.

Alfonso did everything by himself without any help. His house was for sleeping and for shelter during storms. He was always outside working, playing ball, and praying next to Saint Anthony's statue. He lived near a brook and always had water for his plants. He very much liked the plants in his greenhouse, which was made of transparent material. Inside there were many medicinal, aromatic, and multicolored flowering plants that I had never seen.

Alfonso was very happy to show us his place. His vegetable garden outside was huge. It was a big surprise for me to see many flowering burdock and some burrs. Alfonso said that it was a very medicinal plant. He also showed me the chamomile, the rosemary, the dandelions, and the anise. These were weeds for me, but he used them for cures and remedies for sicknesses and therapies. Many people would come to receive cures from him. Alfonso always had an oil and laurel mixture that was a good lotion. It could also be used as a condiment. When someone had pains he could not cure, Alfonso applied a poultice and gave him some to use at home.

With so many things to see, we spent a lot of time there. He was very kind to us. I did not want to leave, but Nonno told me to say goodbye. With tears in my eyes I said farewell. Alfonso told me that I could return even when I'm healthy. I was always happy to talk about the hermit Alfonso. He was our doctor because Pratola did not have a hospital. We always went to Alfonso for cures inside and outside the body. As for me, I never again played airplane with anyone.

This sign was in Alfonso's garden:

Do not cancel
any day of your life.
The beautiful days gave you happiness.
The bad days gave you experience.
The worst days taught you to live.

VOCABOLARIO
L'Eremita Alfonso

abitazione: habitation
alloro: laurel
anice: anise
attaccabottoni: burrs
camomilla: chamomile
denti di leoni: dandelions
erbe aromatiche: cooking herbs
erbe medicinali: medicinal herbs
erbaccia (-e): weeds
eremita: hermit
lappa: burdock
lappola: burdock
malattie: sickness
miscuglio: mixture
ospite: host
pomata: poultice
rimedi: remedies
rosmarino: rosemary
ruscello: stream, brook
salutare: to say hello or good-bye
serra: greenhouse
spostata: pulled from one place to another
stese: past participle of *stendere*, to extend
terapia: therapy
trainato: past participle of *trainare*—to pull behind
trascorso: spend
unguento: ointment; wet, lubricate

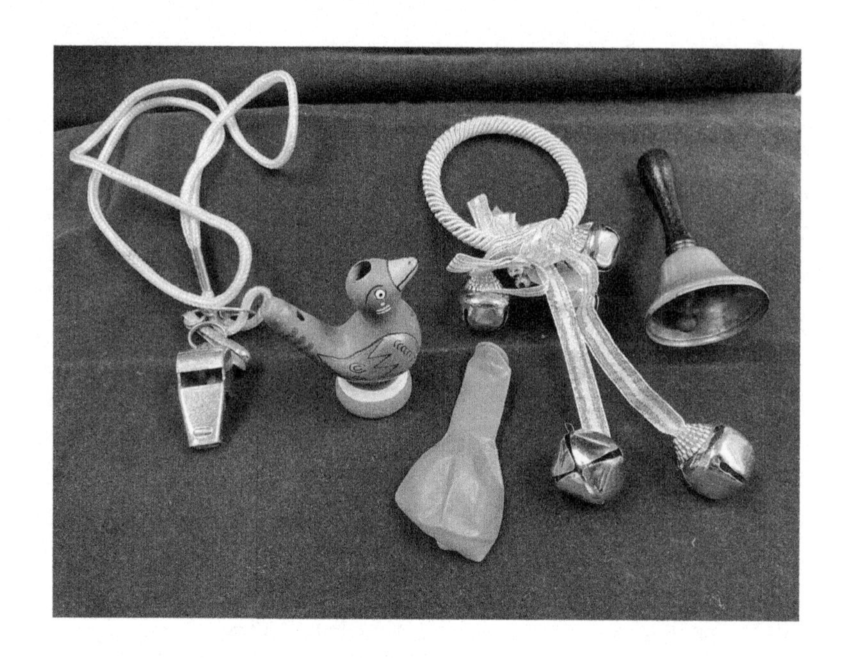

·›› 29. GIOCHI VI: LE TONSILLE ‹‹·

MAMMA sentì il **trombettiere** annunciare che c'era una clinica **provvisorio** per tonsille a Piazza Garibaldi. Era da poco tempo che io aveva le mie tonsille **infiammate** e allora mamma mi portò alla piazza per farmi togliere le tonsille. Mi sono vestita bene per fare una **buona figura**. Quando arrivammo c'era una fila e ci siamo messo anche noi in fila ad aspettare. Dopo un po' di tempo ero stanca e vidi una **tenda** grande al fondo. Non vedevo l'ora di riposarmi lì. All'arrivo vidi una bella poltrona ed ero contenta di sedermi lì che era anche molto **piacevole.** L'**infermiera** mi disse di aprire la bocca e subito tagliò le tonsille. Io non me l'aspettavo così presto ed io rimasi molto **scioccata**. Vicino a me c'era Suor'Assunta che m'insegnava all'**asilo.** Lei mi diede un sacchettino con regali dentro e mi disse che avevo stata molto brava e meritavo regali. Ma non dovevo parlare **assai** solo dovevo mangiare molto gelato. Io ero contenta di sentire quello.

Regali che Egizia ha ricevuto dopo che sono state rimosse le tonsille. Gifts Egizia received after having her tonsils removed.

Mamma ed io ritornammo a casa ed io fu stata trattata come una regina. Nonno Giovanni venne a vedere il mio sacchetto di regali. Dentro c'erano un **fischietto** di mettalo ed un **cuccù** che fischiava molto meglio con acqua, anche una campana piccola con un nastro ed un'altra campana più grande con una **maniglia**. Queste le usavo per chiamare mamma invece di gridare. L'ultimo nel sacchetto era un palloncino sgonfio. Nonno Giovanni subito prese e gonfiò il palloncino e giocò con me mandandolo **su e giù**. Dopo un po' prese un mazzo di carte per insegnarmi il gioco di Punto. L'obiettivo è d'arrivare ad 11 punti: un punto a chi ha di più carte, un punto chi a di più delle carte d'oro, un punto chi ha più dei sette, un punto chi ha il sette d'oro, e un punto per ogni Punto prese alla fine di ogni partita.

Il capo dà tre carte ad ogni giocatore e poi mette quattro carte faccia su sul tavolo. Se il primo giocatore può usare una delle sue carte, allora può prendere una carta dello stesso numero o può prendere due carte che fanno la somma del suo numero. Però si deve prendere per prima quello con lo stesso numero. Se non ce ne sia uno uguale, allora si può prendere la somma. Se non si possono prendere le carte, allora devi mettere una carta sul tavolo dalle tre carte in mano. Il Punto si fa quando uno prende le ultime carte sul tavolo.

Quando le prime tre carte finiscono, tre carte in più si danno ai giocatori. Alla fine l'ultimo a prendere le carte prende anche quelle sul tavolo che **rimangono**. Questo era un gioco che nonno giocava molte volte con gli amici nella **taverna.**

Io giocò con Nonno Giovanni finché arrivò Papà con il suo **fazzoletto** in mano. Anch'io trovò un fazzolletto e fecemmo i topolini piegandolo in un certo modo. Ci divertimmo molto nel farli. Si usano quattro ditta per farli muovere velocemente o per mettere paura a qualcuno.

Mi è piaciuto molto giocare così con Papà. Me ne avevo dimenticato che dovevo stare zitta e riposarmi tutto il giorno. Dopo di dieci anni queste tonsille mi sono **ricresciute** non ho mai avuto alcune altri problemi.

Anche adesso quando ho dei bambini **attorno**, faccio il topolino e lo faccio saltare a loro oppure l'acchiappo per la **coda** prima che cade. Questo è sempre piaciuto da tutti anche agli adulti.

GAMES 6: THE TONSILS

MOM had heard the town crier announce that there was a temporary clinic for tonsils at Piazza Garibaldi. I had had inflamed tonsils for quite a while, so Mom brought me to the piazza to have them removed. I had to dress up so that I made a good impression. When we arrived, there was a line, and we got in line and waited. After a little while I was tired and I saw a large tent at the end. I couldn't wait to rest there. When we arrived, I saw a beautiful armchair in the tent. I was happy to sit in this comfortable chair. The nurse told me to open my mouth, and she quickly cut the tonsils. I was very shocked at how quickly it all happened. Sister Assunta, whom I had at the sister school, was near me. She gave me a little gift bag and told me that I had been very good and deserved these gifts, but I could not talk a lot and had to eat ice cream. I was very happy to hear this.

Mom and I returned home, and I was treated like a queen. Nonno Giovanni came to see my little bag of gifts. Inside there was a metal whistle, a *cuccù* whistle that whistled better when water was put in it, a little bell with a ribbon, and a bigger bell with a handle. These I used to call Mamma instead of yelling for her. The last item in the gift bag was a balloon. Nonno Giovanni quickly took and blew up the balloon and played with me making it go back and forth. After a little while he took a pack of cards to teach me the game of Punto. The object of the game is to arrive at 11 points: 1 point for the player who wins the most cards; 1 point for the player who wins the most gold cards; 1 point for the player who wins the most sevens; 1 point for the player who wins the seven of gold; 1 point for each Punto.

The leader gives three cards face down to each player and puts four cards face up on the table. If the first player can use one of his cards to pick a card of the same value or two cards that make up the same value, he will take it. The one card with the same number is taken first. If there is no card with the same number then the sum of two cards that make the number is taken. If no cards can be taken, then one of the three cards in the hand is put down. A Punto is made when the last trick is taken and no cards remain.

When the first three cards finish, three more cards are given to the players. At the end the last to take the cards also takes any cards left on the table. This was a game that Nonno played with his friends at the tavern.

I played with Nonno until Papa came with his handkerchief in his hand. I found my handkerchief too, and we made mice. We had a good time making the mice. One uses four fingers to make it move quickly or to make someone fearful. I liked playing this way with Papa.

I had forgotten that I had to be quiet and rest all day. After ten years the tonsils grew back, and I have never had any problems with them.

Even now when I have children around me, I make the mouse and I make him jump on the children or else I grab him by the tail before he falls. This is always liked by everyone, even the adults.

VOCABOLARIO
Le tonsille

asilo: nursery school
assai: a lot
attorno: around
buona figura: good impression
coda: tail
cuccù: water whistle
fazzoletto: handkerchief
fischietto: whistle
infermiera: nurse
infiammazione: inflamed
maniglia: handkerchief
piacevole: comfortable
provvisorio: temporary
ricresciuto: grew back
rimangono: remaining
scioccata: shocked
su e giù: back and forth
taverna: tavern
tenda: tent
trombettiere: town announcer

30. APPENDIX A: RICETTE

Babbà

INGREDIENTS

1 cup flour
¼ cup butter
⅓ cup powdered sugar
¼ cup raisins
2 tbsp warm milk
.4 ounces candied fruit
½ tsp salt
2 tbsp yeast
⅓ cup whipped cream
2 egg yolks
2 tbsp marsala
2 tbsp rum
1 tsp vanilla

Oven: 375° F

1. Put ¾ cup flour and warm milk in a cup with yeast. Make a soft bread and mark an X on top. Put it near oven or in the oven at low temperature for about 30 minutes to rise.
2. Put eggs and sugar in beater and mix well.
3. Add the rest of the flour, yeast that has doubled, melted butter, marsala, and rum. If needed, add more warm milk and beat until the mixture is well combined and leaves the sides of the bowl clean.
4. Add raisins and candied fruit.
5. Set aside to rise in a cake pan or tube pan. Spread with butter first and then with the powdered sugar and flour mix.
6. Cover so no air gets in and put it in a warm oven (200° F) to rise. After two hours it will double.
7. Bake in oven at 375° F for 35 or 40 minutes.
8. When done, spread with powdered sugar and serve cold.

SYRUP

Variation: Make a syrup using water, sugar, and lemon zest. Bring it to a boil to dissolve sugar. Simmer for 10 minutes. Remove pan. Make three small holes on top. To syrup, add rum and marsala. Then pour over cake. Eat cold with whipped cream.

Homemade Limoncello (Zia Luisa)

INGREDIENTS

2 cups alcohol
2 cups water
2 cups sugar
3 lemons, a bit green and recently picked

1. Wash and dry the lemons.
2. Put just the peel in the alcohol
3. Plug the bottle and let it rest for three days, even two weeks.
4. Take rind out of the alcohol
5. In pan, put two cups of water to boil.
6. Add sugar and cook till incorporated.
7. Take the pan and pour contents into alcohol.
8. Mix well.
9. Filter.
10. Put the limoncello in bottles and tap it.
11. Rest for two weeks.
12. Enjoy.

melanzane alla cioccolata

Melanzane al Cioccolata (Chocolate Eggplant)

INGREDIENTS

- 12 ounces chocolate pieces, melted
- 5 tbsp almonds
- 2 tbsp pine nuts
- 6 tbsp candied citron, minced
- 8 tbsp Jordan almonds, coarsely chopped
- 1 pound eggplant, thinly sliced
- 2 eggs
- salt
- 2 tbsp water
- Oil for frying

1. Slice eggplant and fry in hot oil after coated.
   a. Whisk eggs, salt, water.
   b. Have second bowl with flour.
   c. Shake off excess coating.
   d. Drain on paper.
2. Place eggplant in baking dish in a row.
3. Cover with ⅓ of the melted chocolate, ½ of the Jordan almonds, and ½ of the candied citron. Spread it evenly.
4. Put a second row of eggplant in baking dish.
5. Put rest of chocolate and decorate with citron and Jordan almonds.
6. Serve at room temperature.

quaresimale

Quaresima Biscotti (Zia Luisa)

INGREDIENTS

Dough:

1 cup sugar
1½ cups flour
2 eggs
⅓ cup candied orange
⅓ cup citron peel
1¼ cup almonds, cut or whole toasted

Seasonings:

1½ tsp pepper
½ tsp nutmeg
½ tsp cinnamon
¼ tsp cloves
1 egg yolk for wash at end

1. Mix the flour, sugar, two eggs. Add toasted almonds, candied orange, and citron peel, pepper, nutmeg, cinnamon and cloves.
2. Place on board and make three logs.
3. Place these logs on cookie sheet (parchment paper, if desired) and brush with beaten egg yolk.

4. Bake at 325° F in a convection oven for 30 minutes or until brown, or 350° F in a regular oven for 35 minutes.
5. Watch out not to burn the logs.
6. When golden brown, remove from oven and cool.
7. Once the logs have cooled, cut into ½-inch slices (mandolin cut, on the diagonal).
8. Stand the slices up. Leave a little room between slices. There is no need to turn them. They will dry on both sides.
9. Return to a 300° F oven for 25 minutes. Or set the oven on warming and let the biscotti sit overnight.
10. Remove and, when cooled, package for freezer in sandwich bags with two cookies per bag.
11. Enjoy with a beverage for dunking.

Strufoli (Zia Luisa)

INGREDIENTS

3 eggs
1 cup plus 5 tbsp granulated sugar
1 glass (½ cup) anise
¼ cup powdered sugar
zest and juice of one lemon or one orange
Pinch salt
Pinch baking soda
2 cups flour, or more, as needed
2 cups honey

1. Combine all the above, except the 5 tbsp sugar and the honey, on board until no longer sticky.
2. Make long tubes and cut into pieces. Roll into balls.
3. Fry in hot oil and drain in strainer or on paper towels.
4. When all are fried, put 5 tbsp sugar in a pot and melt at a low temperature. Add the strufoli and honey. Turn and cook for ten minutes. Remove from heat.
5. Put the strufoli on a plate in a big mound. From the top sprinkle with jimmies or other colorful decorations.
6. Enjoy.

pesche

Pesche from Abruzzo (Cookies that look like peaches)

INGREDIENTS

3 eggs
6 tbsp granulated sugar and extra sugar in which to roll the cookies
¼ cup butter
1 tsp baking powder
4 cups flour
½ tbsp hazelnut chocolate spread
Toasted almonds, chopped
Brandy
Red liqueur, such as Alchemiz
Green liqueur, such as Centerba

1. Mix first six ingredients together until the dough is no longer sticky and can be rolled by hand.
2. Make small balls and cook at 350° F for 12 minutes. Cool. Cookies will look like a small hemispheres.
3. Scoop out centers and put them in a bowl with the hazelnut chocolate spread, toasted almonds, and brandy. Mix.
4. Add enough brandy to make the mixture moist and tasty.
5. Refill the centers of the cookies and place two together to make a

small peach. Pour red liqueur over the top and roll in sugar. The red liqueur commonly used is called Alchemiz and is purchased in Italy. In the United States, Campari is used. A variation would be to make one side red and the other green with Centerba, Crème de menthe, or any green liqueur.

6. Optional: decorate with edible leaves and stems.

Filarone

INGREDIENTS

3 eggs
¼ cup oil
½ cup of wine and ½ cup rum, combined
1 tbsp sugar
4 tsp baking powder
However much flour it will take to handle dough.

1. Put through pasta maker till thin like lasagna . . . last hole.
2. Fill with chickpea and chocolate filling (recipe below). Fry in skillet till golden. Prick tops.

Filling:

Grape jam
3–4 tbsp cocoa
3–4 tbsp grated chocolate or chocolate chips
1–2 tbsp grated orange rind
½–¾ cup ground almonds

1. Drain the chickpeas and mash with potato masher to remove skins. Combine with remaining ingredients.

Scarpeta

INGREDIENTS

- 5 eggs
- 1 cup oil
- 2½ tsp baking powder
- Juice of one lemon
- 1 cup milk
- 1½ cups sugar
- 1½ tsp baking soda

1. Mix the above with as much flour it will take to handle dough. Put through a pasta maker till thin like lasagna ... last hole.

Filling:

- 3 cups ricotta, drained
- 2 egg yolks plus one whole egg
- 1 tsp cornstarch
- 3 tbsp sugar, plus two more to taste
- 3 tbsp Parmesan/Romano cheese
- Zest of one lemon, orange, or mandarin

1. Cut circles in the dough.
2. Fill with 1 tbsp of mixture above and fold into crescents like perogies. Alternatively, on a long strip of dough, drop the filling three inches apart.
3. Fold, cut, and crimp with a fork. Prick tops.
4. Brush with egg for color before cooking.
5. Bake at 350° F for 15 to 20 minutes.

ABOUT THE AUTHOR

EGIZIA Santilli Brown was born in Pratola Peligna, Abruzzo, Italy, and emigrated to Halifax, Nova Scotia, where she learned to speak English and graduated from Mt. St. Vincent's University with degrees in English and Education. She moved to New England and taught elementary school in Portland, Maine, for a year, and then for over 20 years in Portsmouth, New Hampshire. Meanwhile she began teaching adult education classes in the Italian language and Italian cooking and has continued with these for almost 30 years, having reached hundreds of would-be Italian speakers.

She currently lives in Greenland, New Hampshire, near her two sons, daughters-in-law, and three grandsons.

Made in the USA
Middletown, DE
23 January 2023